小さな企業が生き残る

地域×技術×デザイン

金谷勉

町工場 再生のパートナー
CEMENT PRODUCE DESIGN

日経BP

はじめに

下請けの小さな町工場や職人でも、生き残る「手」はある

9対1。

中小企業庁が発表した2016年6月時点での中小企業・小規模事業者（製造業の場合は資本金が3億円以下か従業員数が300人以下の会社）は357・8万者に及んでいます。対する大企業が1・1万社といわれていますから、日本にある企業の9割が中小企業です。

そうした小さな会社が毎年少しずつでも業績を伸ばしていければ、まだまだ日本は良くなると感じています。

では、小さな会社は今、どういう戦い方をしていけばいいのでしょう。

そもそも、大きな会社ではなかなかできない、小さな会社だからこそできる、小さな会社なりの戦い方というものがあると思います。当然、資金力や開発力、販売力、そして企業としての規模や体力では大きな会社にかないません。でも、小さな会社は規模もやることも小さい分、身軽だし小回りも利く。野球でいえば、豪快なホームランを打つのではな

く、的確にランナーを進めるバンドで点数を取っていくイメージです。

これからは、今までやってきたモノやコト、サービスをそのまま続けていくだけの「既定路線」では消費者にそっぽを向かれてしまう。なんとも厄介で面倒な時代がやってきています。絶えず、新たな発想や従来とは違うアイデア、あるときには思ってもみない冒険に挑戦していく必要があるのです。

先行きやマーケットの流れも読みにくいし、以前のように買い手や使い手が欲しているモノやコト、サービスをそのまま提供するだけではもう遅過ぎるというか、力不足。むしろ買い手よりもずっと先に行く。買い手が予想もしていないような驚きや感動、時には笑いを提供していかないと、生き残れないのではないでしょうか。

その意味では、実際に行動を起こし、ダメだったらまたやり直す。そんなトライ&エラーを何回も何回も繰り返していかなければならないわけです。失敗することを極度に恐れる大きな会社はなかなか新しいモノ、今までやったこともないコトに踏み出しにくい。動いたとしても図体が大きいし、組織も複雑なので、いちいち時間がかかります。

その点、小さな会社は経営者や上司が「やろう」となったら速攻で動けます。そして、たとえ失敗したとしても、大きい会社よりも傷口は浅く出血も少ない。その分回復も早いはずです。

また、大きな会社では試みない面倒なことを、小さな会社ならやらざるを得ない。そうした面倒で手間がかかるモノやコトに、次なるビジネスの芽が隠れていたりする。小さな会社に大きな会社のまねはできませんが、逆に大きな会社も小さな会社のようにできなくなっているのです。

「ある日突然、得意先からの仕事が切られてしまって……」

こうなると、町工場や職人の工房は場合によっては倒産や廃業に追い込まれてしまうこともあります。

では、どうすれば良いのか。

そんなピンチに遭遇しても、乗り越える道がまったくないわけではない。工場が倒産・廃業せずに、しぶとく生き残る「手」が必ずあるのです。

ただ、多くの町工場や職人のみなさんはその「手」に、残念ながら気がついていない。

そこで、この本ではみなさんに、技術があっても表現しきれない小さな工場や職人が生き続けるための術、そして自分たちが目撃し体験してきた工場や職人たちの生き残りの「手」を詳しく解説していこうと思います。

僕らに求められる仕事の領域や内容が広がっている

僕はセメントプロデュースデザインというデザイン会社を経営しています。本社は大阪で、東京にも拠点があります。デザイン会社の社長ですが、僕自身はデザイナーではありません。では、普段はどんな仕事をしているのかといえば、みなさんの悩みや心配ごとを聞き、必要な治療方法を見つけていくことです。

今抱えている課題や不安に思うことに対してどう対処したらいいのか、解決するためにはなにをすべきで、なにをすべきでないのかを一緒に考え、時にはともにリスクを負いながら次なる局面に打って出ます。

1999年に会社を始めたころは、「ポスターをつくってほしい」「パンフレットを刷新したい」といった、デザインする内容がはっきりした仕事が多かったと思います。ところが、次第に依頼主から寄せられる注文が変わってきました。

「これって、どうしたらいい?」

「仕事が減っているこの状況から、なにをすればいいだろうか?」

「ウチのこの設備と人材で、つくれるものってなんだろうか?」

「そもそも、どういうモノをつくればいいのか、わからない……」

今の状況でどう動くべきなのか、なにを目指すべきかを相談される機会が増え、おのずとデザインする対象や事柄が起業時よりも大きく、より重く変化し、広がってきました。

時には、まったくなにもないところからモノをつくり、コトを起こし、売るためのミチ（流通）までを考え、実行したりすることがあります。

産地の生産者と消費者がつながる場をつくってみたり、違う技術を持った事業者同士が出会い、手を組める機会を設けたり……。町工場の新たな顔をデザインすることもあれば、伝統工芸の事業継承の道筋をデザインするケースもあります。

おそらく、これまでのデザインと意味も役割も変わってきたのだと感じています。

そして、こうした活動を続けてきたことで実際に倒産や廃業のピンチを救う場面にも出くわしました。

数々のピンチをチャンスに変えてきた

安価な眼鏡チェーン店に押されて、業績不振に苦しんでいた福井県鯖江市の眼鏡の材料を扱う商社とは、眼鏡づくりの製法をそのまま生かしたミミカキをつくりました。3900円もするミミカキですが、「ギフトとして贈られる高級ミミカキ」という新カテゴリーを切り拓くことに成功し、発売4年で販売数3万6000本を超すヒット商品に成長しました。

これがその会社の黒字化につながっただけでなく、社員のやる気までも喚起することにつながりました。今や地元の有力企業となったその会社は鯖江、ひいては福井を盛り上げるために頼られるようになっています。

愛知県瀬戸市で陶磁器を量産するときに必要な型をつくる職人は、陶磁器業界縮小のあおりで窯元からの仕事が激減している状況でした。打開のために自社で販売できる企画を考えて皿をつくって売ろうとしていましたが、どこにもあるようなプレーンなデザインでした。ほかがまねできない細かな手彫りで型をつくる技術を持っていたにもかかわらず、それがまったく生かされていなかったのです。もったいない話です。

そこで、手編みのセーターの網目を思わせる凹凸がある湯飲み茶碗やどんぶりを一緒に開発しました。すると、デザイングッズを扱う都内のミュージアムショップが飛びついてきました。結果的にはそうした商品で技術力の高さを広くアピールでき、現在は仕事が殺到し過ぎて、逆にお断りしている状況だそうです。

静岡県熱海市の木工所の場合も、熱海の旅館などの建具を請け負ってきましたが、相次ぐ旅館の倒産で請負仕事がなくなり、廃業寸前に追い込まれていました。なにかしなければならないが、そのための設備投資などは到底無理。半世紀以上使い込んだ手持ちの機械だけでできることを考えて生まれたのが、片面は切るためのまな板、裏返すと盛り付けが楽しくなるプレートになるという商品でした。

これまでにない新しい切り口だったのと著名なホテルで使ってもらったことで、テレビや新聞がこぞって取り上げ、木工所は新たな下請け仕事が増え、窮地を脱することができました。

一方、神戸市が地元の産業振興のために設けた勉強会に僕が講師で招かれた際、出会った菓子工場からは「思うように売り先が広がらない」と相談されました。瓦せんべいの製法で開発したお菓子は食べると美味しい。だけど、扱っている店は地元の百貨店1店舗だけでした。どうやら誰に向けて、どう売るべきかという検討や整理がされないまま、なんとなくデザイナーに依頼してつくったパッケージが原因でした。

自分たちが売りたい顧客像や行きたい売り場を明確にし、それに向けたパッケージデザインや売り方に変更したところ、都内の高感度なライフスタイルショップが扱う商品に進化できました。

伝統工芸の職人の変わる様も目の当たりにしました。京都府の職人育成プロジェクトで、竹工芸の女性職人の商品開発を手伝ったときのことです。彼女は竹を細く紐状にし、それを編んで精緻な籠などをつくっていました。すべての工程を1人でつくっているため量産ができず、またどれも高額になってしまうために作品がなかなか売れないという悩みを抱えていました。

比較的生産がしやすく、売りやすい。そんな視点からアクセサリーの開発に取り組み、竹のバングルとリングをつくりました。これが国内だけでなく、パリの見本市でも高い評価を受け、彼女自身も雑誌などで多数取り上げられました。

さらに、海外のデザイナーからも声がかかるようになり、作家としての知名度を高めることができました。すると、以前は無名ゆえに売れなかった高額な籠も次第に売れるように。全国の百貨店から実演販売の依頼も寄せられるようになったのです。

自分たちでなにかつくって売ってみよう

気がつくと、相談を持ち込んでくる先は、下請けの零細企業や町工場の経営者、それに伝統工芸の職人たち。これまでデザイン会社が接する機会が少なかった人たちです。

なぜ、こうした人たちと仕事をするようになったのでしょう。

それは僕が起業して間もないころ、自社商品をつくろうとしたことがきっかけになっています。今思えば、無知ゆえの怖いもの知らずというか、ずいぶんと無謀なことをしたものです。まったくの素人ですから、当然失敗の連続ですし、擦り傷から切り傷、打撲と血まみれになりながら、モノづくりの何たるかを学ばせてもらいました。

今の事業を立ち上げたのは28歳のとき。手持ちの資金はわずか3000円というなか、実家で小さなデザイン会社を立ち上げました。支援者がいるわけでもなく、ツテもなく、まったくのゼロからのスタートです。

仕事は自分で営業をして取ってくるしかないのですが、いきなり会社を訪問して「なにかデザイン制作する仕事はありますか?」と尋ねても、すぐに仕事をもらうことは難しい。だったら、自分たちで販売できる、なにかきっかけになるツールがあればいいのではないかと思ったのです。小さな商品でも1個あれば営業のきっかけとなります。

また、受注仕事だけではまずい、という考えも頭によぎっていました。独立前に勤めていた広告制作会社は大手広告代理店の100％の下請けでした。こういう下請け状態だと、ほかのクライアントとのつながりがまったくないわけです。

ですから、ある日突然代理店からの仕事が切られたら、一巻の終わりです。せめて自社商品を持っていれば、受注案件と自社販売との両輪で安定収入につなげていけるのではないだろうかと、なんとも安易なことを目論んだのです。

当初、自分たちで考えてデザインして売る商品はなんでもよかった。たまたま、事務所をシェアしていた先輩がピースマーク風のかわいらしいクリップのデザイン案を温めていたので、それをつくることにしました。

ただ、自分にとってはプロダクトデザインの事業は未知の領域。商品をつくった経験がありませんでした。

「クリップぐらいなら、そんなに費用もかけずに簡単につくれるんとちゃうか」

そんな軽い気持ちで始めたのです
ところが、甘い期待はあっさりと裏切られました。

まず、工場探しから苦戦します。当時は町工場でホームページを開設しているところはほとんどありません。ひたすら電話帳をめくって工場を探しました。が、いったいどんな工場がつくってくれるのか電話帳からは皆目わからない。手当たり次第に連絡していくと、つくるにはどうやら高額な金型が必要だということを知り、ひたすら金型代が安い工場を探したのです。

ようやく数万円で受けてくれるところが見つかり、試作をお願いしてみたのですが、すぐにその金型は耐久性がないため、本格生産には追加の費用が必要だと言われる。不信感を持ってしまった僕は他の工場に変えて生産しようとしたのですが、結果は同じです。工場を変えても満足いくような生産環境にたどり着けませんでした。

実は安くできる金型はサンプル用で、量産には適していなかったのです。無知ゆえに、工場とのコミュニケーションがきちんとできていなかったために、さらに無駄な出費が重なりました。

クリップがモノづくりと商売のいろはを教えてくれた

困っているところへ、知人が東大阪にある町工場（社名は成瀬金属株式会社）を紹介してくれました。さっそく伺ってみると、デザイン画を見たそこの社長からいきなりこう切り出されたのです。

「この企画はいくらで売りたいんや？」

価格のことなどまったく考えていませんでした。

「20枚入りを500円ぐらいで販売できたらなと……」

1000円は高いと思い、とっさにそう答えました。

「ほな、ウチはなんぼでつくったらいいんや？」

これまたわかりません。以前知人から、商品の原価は売り値の3分の1くらいという話を聞いたことがあったので、そう伝えました。

「ほな、最低20万枚は抜いてつくらなあかんな。それだけ抜くなら安い金型では無理や。金型代と商品代合わせて100万円かかるけど、どないする？」

「えっ！」

思いもよらぬ金額にビックリです。

「そんなにかかるのか……」と思いつつ、それまでにもいろいろ出費をしているので引くに引けません。かといって、そんな大金は持ち合わせていないし、借りる当てもない。仕方なく、契約書ではなく「半年の分割払いにしてもらえませんか?」というお願いを書いた紙を持って再び訪問しました。

その社長には苦笑いされましたが、なんとか承諾してもらうことができました。そうして、20万枚ものクリップが出来上がってきたのです。

さすがに裸のままでは商品になりません。入れるケースが必要ですが、つくればまたお金がかかる。奇跡的に、20枚のクリップがぴったり入る薬用の容器が売られていたのを見つけました。でも、ふたがブルー。せめて透明にしたいと、その容器のメーカーに問い合わせると1万個つくれば透明のふたができるとのことでした。

「20万枚がちょうど1万個のケースに収まるわ」

そんな偶然に喜びつつ、これまた借金をしながら、「20枚入り500円」の商品が1万セット出来上がってきました。

でも、ここからがまた大変でした。

なにしろ、一度もモノを売ったことがないわけです。どこにどうやって売っていくのかもわからない。まずは手当たり次第に知っている店に営業をかけました。

当時人気のあった大手の雑貨チェーン店を訪ねると、ほかの業者はトランクいっぱいにいろいろな商品を持ってきている。こちらはクリップのみ。ほとんど手ぶら状態です。案の定、先方のバイヤーから売り込み商品がたった1つだったことに驚かれました。

「この商品を扱ってもいいけど、そちらの口座がないので問屋を迂回してくれないか」

流通の商習慣を知らなかった僕にとって、相手がなにを言っているのかよくわかりませんでした。

1個しか商品のない会社といちいちビジネスするのは面倒だということ。

商品を卸すには取引口座が必要で、簡単には越えられない壁であること。

そしてこの口座は、卸したい側にとっては会社の資産にもなること。

そういった商いの常識を理解するまでに、またしても相当な時間がかかりました。

ようやく知人の会社の口座を借りて商品を卸すことできたのが、2003年に発売した「Happy Face Clip（ハッピー フェイス クリップ）」です。お陰さまで売り先も広がり（現在は全国の小売店で約500に及ぶ取引口座を持っている）、発売から14年で販売累計が25万個を超すロングセラー商品になっています。

このクリップの経験から、自分たちのモノづくりは最短距離では行けないこと、工場との生産環境、原価設計や検品作業などたくさんの工程と手間がかかることが身に染みてわかりました。

同時に、商品はつくって終わりではなく、きちんと売って、買い手に届いて初めて商品となる。いわば商品をデザインするということは単に設計して色や柄を決めるだけでない。それをどう見せて、どういう売り場でどう売ってもらうか。きちんと出口を見据え、企画から流通までを考えて動く、いわゆるコト（技術）・モノ（意匠）・ミチ（販路）の一連を「考動」（考えて動く）していくことがデザインであると肝に銘じました。

どんな会社でも「強み」がきっとある

町工場の人たちからすると、僕らのような業界はとかくうさん臭く思われがちです。僕の会社にしても、「プロデュース」と「デザイン」という、聞きようによってはうさん臭いワードが2つも入っています。

でも、講演などでこのクリップ開発のくだりを話すと、工場のみなさんは笑いながら、「オレたちも似たような経験をしてきた」と思ってくれるようで、講演後に近づいてきて「ウチの相談に乗ってほしい」と話しかけられることが増えていきました。

僕らのようなデザイン会社の顧客は、そもそも製造か販売をしている企業です。家電業界、食品業界、アパレル業界などの製造業とそれに伴う販売業のさらなる発展のために、CMやポスター、カタログ、プロモーションといったたくさんの仕事を依頼されてきました。そうした業界の会社や人たちにお世話になり、自分たちの仕事が生まれ、生活が成り立ってきたわけです。

ただ、今は大企業といえども苦戦している時代。顧客のみなさんは弱ってきています。小さな会社はなおさらで、各地で出会う事業者はどこも下請けの受注仕事の絶対数が減っているといった課題を共通に抱えていました。

日本の製造業が厳しくなれば、必然的に僕らの業界も厳しくなってきます。デザイン関係を教える教育機関は増えていますが、このままだと若い世代のデザイナーの需要がこの先もあるとは限らない。

「デザイン業界がもっと製造業界から信頼される必要がある」

「日本のモノづくりの課題を、互いに解決し合える方法はないだろうか」

そんなことを考えることが多くなっていました。これまでお世話になってきた分、製造業のみなさんに対してなにかお手伝いはできないか、貢献はできないかと感じていました。

そこで、ある小さな取り組みを起こすことにしたのです。

僕らは町工場や職人のような設備や技術は持っていないけれど、アイデアを考えられるし、デザインもできる。売っていくこともなんとかできます。であるなら、互いに知恵を出し合って、抱えている課題を解決する――協業企画「みんなの地域産業協業活動」と勝手に僕らが命名した活動です。２０１１年から開始して、毎年少しずつ事例が増えています。

そのうち、各地の自治体からも相談や依頼が舞い込むようになりました。京都府の「京都職人工房」講師、東京都墨田区の「すみだ地域ブランド戦略」コラボレーター、神戸市経済観光局の「ものデザインコラボＬＡＢ」講師など、肩書きはいつの間にか15を超え、年間１００に及ぶ勉強会や講演をこなすようになっています。

こうした活動で巡り合う町工場や職人のみなさんには必ず、こういう質問を投げかけます。

「○○さんの会社の得意なことや強みって、なんですか?」

「なんで商品をつくりたいんですか?」

するとたいてい、こういう答えが返ってきます。

「これといって、たいした強みは……」

「仕事が減っているので、なんでもいいからつくろうと思って……」

おそらくこれまで自分たちの強みということをあまり考えたことがなかったのではないでしょうか。自分たちがなにをつくってきたのかはすぐにわかるものの、毎日毎日手掛けている製造物から、自分の得意なことや強みをなかなか思いつかないものです。

では、「強み」とはなんでしょうか。

それは自分たちのことをきちんと知ること、だと思います。

自分の工場や自分の技術でどういうことができるのか、その技術でどんなものを生み出せるのか、気がついていない事業者がとても多いと感じます。ねじやばねといった部品をつくっている町工場や、分業制の一部分しか請け負っていない職人だと、最終の完成形をイメージしづらいので仕方がない話なのでしょう。

そこで一度、日々やっている仕事をバラバラに分解し、整理し、分析してみるといいと思います。すると、おのずとできることが見えてくることがあります。そこには自分の得意な技術といった強み、いわゆる今の時代に生き残れる「武器」が潜んでいる可能性が高いのです。

これまで町工場や職人のさまざまな仕事現場に通ってきて思うことですが、どんなところにも必ずなにかしらの「強み」があると確信しています。それは持っている技術や技法なのか、工場や工房にある設備や道具なのか、はたまた扱っている素材なのか……。普段お付き合いしている人たちや扱っている商品の取引先の口座、抱えている内職さんの技術、立地や環境など、さまざまなものがその会社の資産であり、強みになることがあるのです。

たとえ下請けにとって最大のピンチに直面しても、自分が持っている武器をあらかじめ知っておけば、生き残りの「手」を探すことができます。

では、具体的にどうしたら自分の強みを探せるのか、そしていかにしたら強みを「手」として活かしていけるのか、お話ししていくことにしましょう。

全国で関わった「生き残り」あの手この手

北海道 Hokkaido

HOUSE MEASURE
[旭川]

Card Chest
[旭川]

栃木 Tochigi

匣庭 - 益子 ver.-
[益子]

東京 Tokyo

ALMA
[墨田]

TREE PICKS
[墨田]

切匣
[墨田]

静岡 Shizuoka

face two face
[熱海]

愛知 Aichi

Trace Face 湯呑み
[瀬戸]

Trace Face どんぶり
[瀬戸]

Trace Face ライト
[瀬戸]

山梨 Yamanashi

URUSHINASHIKA
[甲府]

岐阜 Gifu

Tea mate a la carte
[多治見]

匣庭 - 美濃焼 ver.-
[土岐]

NEXT FORM JAPAN

みんなの地域産業協業活動

produced by
cement produce design

富山 Toyama

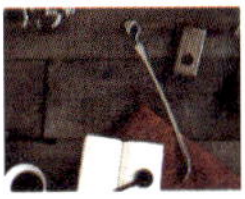

MAGONOTTE
［高岡］

漁師のおやつ
［滑川］

福井 Fukui

ANIMALE
［鯖江］

Sabae tsumekiri
［鯖江］

VYAC
［鯖江］

SEE OH! Ribbon
［あわら］

Sabae AMEGANE
［鯖江］

Sabae kutsubera
［鯖江］

Sabae mimikaki
［鯖江］

兵庫 Hyogo

KOBE Fruwa
［神戸］

京都 Kyoto

Take Reed
［京都］

花こころ
［京都］

Takenaka kinsai
［京都］

大阪 Osaka

菊水純国産妻楊枝
［河内長野］

ANSWER SOAP
［摂津］

Frien'Zoo Stool
［富田林］

楽豆屋
［富田林］

Happy Face Clip
［東大阪］

遊んで学べるビンゴ
［城東］

和手玉をかし
［泉南］

愛媛 Ehime

Towelie Towelie
［今治］

Happy Face Clip ／ ハッピー フェイス クリップ
成瀬金属（大阪府東大阪市）
東大阪の町工場とつくった金谷の商品第１号。モノづくりのいろはを教わる

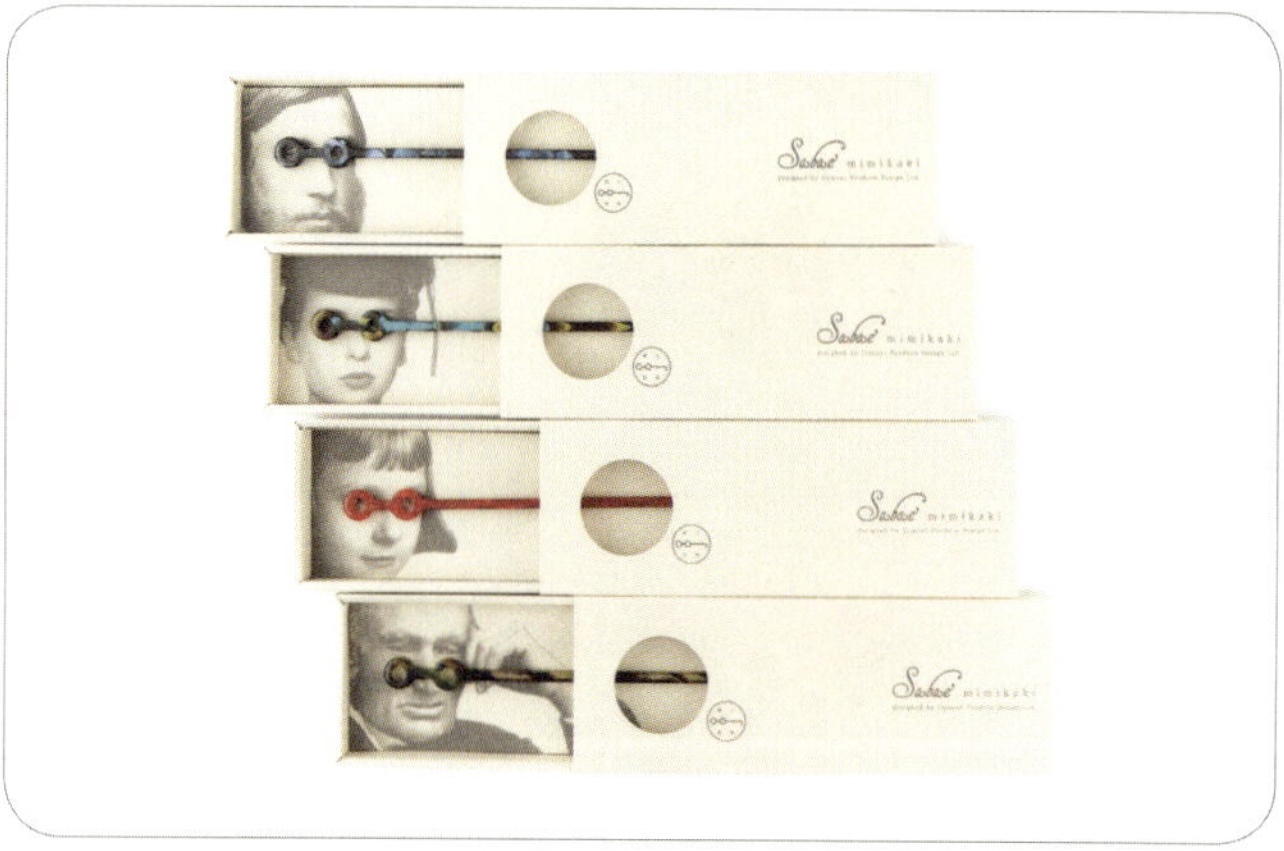

Sabae mimikaki ／ サバエ ミミカキ
キッソオ（福井県鯖江市）
眼鏡の加工法を並行活用して開発したミミカキ。債務超過の会社を救う

Trace Face ／ トレースフェイス
エム・エム・ヨシハシ（愛知県瀬戸市）
手編みセーターを思わせる器は陶磁器原型職人の高い手彫り技術を知らしめた

SEE OH! Ribbon ／ しおりぼん
矢地繊維工業（福井県あわら市）
包装商材のリボンの可能性を広げたしおり。リボンを脇役から主役に

Card Chest ／ カードチェスト
ササキ工芸（北海道旭川市）
家具の装飾部分の製造に長けた木工メーカーとつくった名刺を収納する家具

Frien' Zoo Stool ／ フレンズースツール
カナタ製作所（大阪府富田林市）
動物モチーフのスツール。座椅子メーカーが開発しただけに座り心地がいい

ALMA Aroma Pins ／ アルーマ アロマピンズ
石井精工（東京都墨田区）
精密な切削技術が活かされたピンズの内側にはアロマオイルが。香るピンズ

TREE PICKS ／ ツリーピック
笠原スプリング製作所（東京都墨田区）
カトラリーのようなステンレス製フードピック。金属プレス加工の町工場と

Kyoto Basketry Accessory Series

／ キョウトバスケタリーアクセサリーシリーズ

京竹籠　花こころ（京都府京都市）

伝統工芸をもっと身近に。竹工芸の女性職人とつくったバングルとリング

URUSHINASHIKA ／ ウルシナシカ

印伝の山本（山梨県甲府市）

山梨県産の鹿革に漆で模様をつける山梨の甲州印伝を施した初の小物開発

VYAC ／ ビャク
土直漆器（福井県鯖江市）
今の時代に合った漆とは。越前漆器の技法を活かしたカードケースで答える

Take Reed ／ テイクリード
中川竹材店（京都府京都市）
竹工芸職人と京都精華大学との産学連携で生まれたアロマディフューザー

第3章 自分を知り、自分の強みを見つける「8ステップ」

第4章　下請けの小さな町工場や職人が未来を切り拓くには？

第1章

倒産・廃業のピンチから、生き残りの「手」を見つけた

4つの成功事例から、生き残りの「手」を考察してみよう！

僕が町工場や職人のみなさんと関わり、一緒に商品開発に取り組んだ事例をいくつか紹介していきましょう。どちらのケースも、相談されたときは下請けの仕事が減少し、倒産や廃業すら覚悟しなければならない厳しい状況でした。

そうした状況で、どうすればいいのか。各々の現場で抱える課題の解決法を探し、なにが得意なのか、現実的になにができるのか、といった強みになる部分を見つけ出していきました。そして、その強みを自社内で最大限に活かせる「手」として、商品開発に挑みました。

結果的には、生き残りの方策を見出せただけでなく、会社として、そして職人としてさらに上のステージへジャンプ（進化）することができたのです。こうした成功事例からは、ほかにも応用できるさまざまなヒントを得られるはずです。

STORY 1

福井県鯖江市の眼鏡材料商社　株式会社キッソオ

「ミミカキ」が会社も人も、街をも変える

福井県鯖江市といえば、みなさんがすぐ思い浮かべるのが眼鏡だと思います。実際、眼鏡フレームの国内生産シェアは約96％で、国産眼鏡フレームのほとんどを鯖江でつくっていると言ってもいい。なにしろ人口６万人のうち、10人に１人は眼鏡関係の仕事に従事しているというのですから、すごい話です。眼鏡の一大産地です。

でも、これって裏返せば、それだけ眼鏡への依存度が高いということ。眼鏡が売れなくなると人も街も元気がなくなってしまうことを意味しています。

２０００年以降は、そうした悪夢が現実なものになっています。中国産の安価な眼鏡を扱うチェーン店が登場し、いわゆる「価格破壊」の波が全国に押し寄せたのです。国内の需要が高まる一方で、鯖江の眼鏡関連の企業は軒並み売り上げを落としました。そこに追い打ちをかけるようにやって来たのが２００８年のリーマンショックです。国内需要が冷

え込んだことが大打撃となり、鯖江には豪雪地帯さながらの冬の時代が到来しました。

1995年創業、従業員15人と、家族経営が多い鯖江では中規模に当たるキッソオも、眼鏡メーカーに材料を供給してきた商社だけにもろに影響を受けました。2008年に8億5000万円あった売り上げは翌年には半減し、僕が出会った2012年2月は債務超過にあえいでいる最中でした。

出会ったのは東京インターナショナル・ギフト・ショー（日本最大の総合見本市、毎年2月と9月に開催）。出展者が百貨店や専門店といった売り手のバイヤーに会って自社商品を売り込める「ビジネスマッチング」の場でした。

その当時、僕らはまだ町工場の人たちとの協業を本格的に進めていたわけではありません。その前年に、同じビジネスマッチングで出会った福井県あわら市のリボンメーカーと、植物を模したしおり商品を開発したこともあり、僕自身、地方のつくり手といろいろなことを仕掛けていきたいと思っていたので、マッチング企画に参加したのです。

「あれ？　眼鏡とちゃうのか」

まず、キッソオという社名は聞いたことがありませんでした。資料に所在地が鯖江と書かれていたので、きっと眼鏡の商品を持ち込んでくるのだろうと思いきや、同社のディレクターである熊本雄馬さん（当時33歳）が見せてくれたのは、眼鏡のフレームの材料であるセルロースアセテートという素材でつくったリングやブレスレットでした。

本業の眼鏡業界が苦しくなって取り扱っている素材の注文が減っている。数年前から眼鏡の材料・技術を使って眼鏡ではないモノづくりをしようと、「鯖江ギフト組」という地元のつくり手が集まったグループで勉強会を始めたそうです。そして、自社の特徴であるカラフルな素材を使ったアクセサリーのビジネスに乗り出した。本業の眼鏡以外

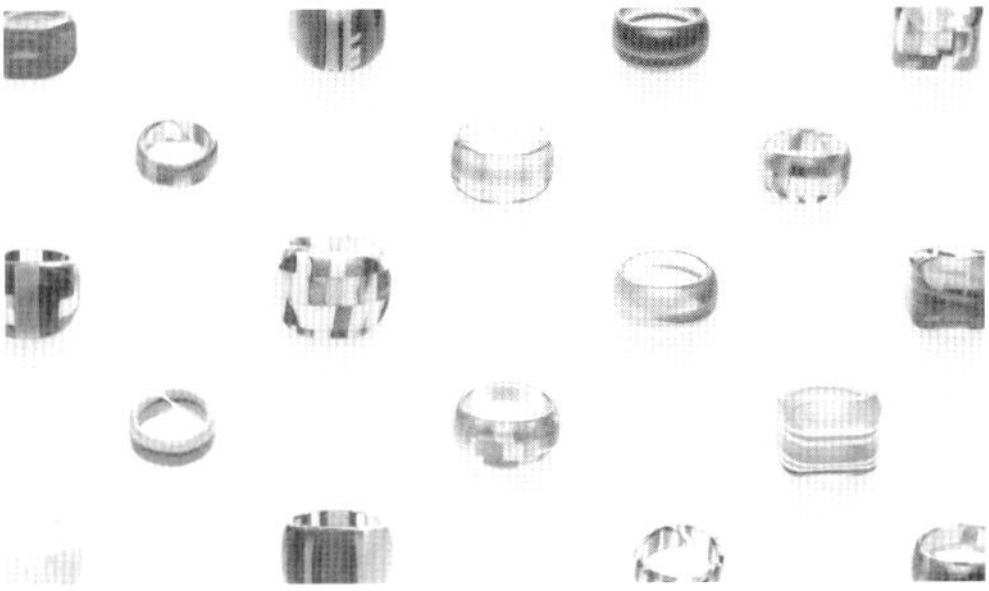

眼鏡のフレームの材料でつくったリング

でなにか活路を見出せないかと模索していたわけです。

とはいっても、材料商社なのでこれまで完成品を売った経験もなく、眼鏡業界以外の人たちとも接したことがない。ギフトショーでブースを構えていましたが、販路をなかなか広げられずにいました。

当時、僕の会社セメントプロデュースデザインでは全国で約500店のセレクトショップや雑貨店への取引口座を持っていたこともあって、僕らにそのアクセサリーを売ってもらえないかという相談でした。

見ると、色合いや模様はカラフルできれいでした。でも、素材にあまり詳しくなかった僕の目には単なるプラスチックに映った。

「金属でもないリングが4000円もする。こりゃ、売るのは大変そうやなぁ……」

これが第一印象でした。

セルロースアセテートはイタリアから輸入している材料で、そもそも仕入れ価格が高い。加工代などを加えると必然的にこの価格になってしまうという説明でした。

当然、この価格になる理由を買い手に説明し、納得してもらわないと売ることは難しい。そのためにはこういうジャンルの商材は説得力を持たせる付加価値やストーリー、それに見せ方が必要になってきますが、現状のアクセサリーの企画だとその点が伝わりにくいように感じました。

だからといって、これといった代替案がすぐに浮かぶわけでもなく、初回の面談はそんなもやもやした感じで終わりました。ちなみに、キッソオでは5社へマッチングの申し込みを行い、面談に至ったのは僕の会社1社だったそうです。

ギフトショー後、キッソオの熊本さんが熱心に僕の大阪事務所に通い始めました。会った際に僕がちょっとつぶやいたことなどを現場に持ち帰り、そこで考えた材料やサンプルを月に2回ぐらいは持ってくるのです。

半減した会社の売り上げは回復せず、頭打ちの状態が続いている。

「なにかをしなければならないが、なにをしていいのかわからない」

眼鏡以外では扱いにくいセルロースアセテート素材

そんな焦る気持ちが表情からひしひしと伝わってきました。そこで、まずは現場を見るべきだろうと、デザイナーを連れて鯖江のキッソオ本社にお邪魔することにしました。

よくよく聞くと、セルロースアセテートは熱に弱い性質があって曲がりやすいのだそうです。しかもイタリアで製造された材料を買ってくるので、日本でオリジナルの柄をつくることもできないとのこと。加えて加工賃も高くなるという。眼鏡にとっては優れた素材でしたが、それ以外の用途では実に扱いにくい素材でした。

仮にキーホルダーをつくったとしても売価が3000円を超えてしまう。

「3000円もするキーホルダーを、誰も買ってくれないやろうな……」

実に悩ましく、ハードルの高さをつくづく痛感しました。

材料をなるべく使わず、今ある設備でできる商品ってなんやろう？

僕の会社でさっそく具体的な商品案を練り始めました。デザインチームからは、時計、照明、フラワーベース、ボールペンのキャップ、収納ボックスなど十数案が出てきました。ただ、その段階では製造そのものが難しかったり、材料と価格が見合わなかったりと、どの案も課題を乗り越えられそうもなく、難航していました。

ちょうどそのころ、僕は個人的にミミカキを探していました。ミミカキはツメキリ同様に日常的によく使うし、出張先にも持っていったりする。ツメキリはすでにこだわってつくられたものが市場にあるのに対し、ミミカキはドラッグストアで売っているものが大半。こだわっていても竹製のものがあるぐらいで、自分のライフスタイルに合って積極的に使いたいと思うミミカキがありませんでした。

「だったら自分でも欲しいと思えるものをつくってみてもえええなぁ。イタリアの素材だし、イタリア人が使っても様になるようなものを」

そんな思いつきから、みんなが出したアイデアにミミカキの案を追加で加えることにしました。

すると、このミミカキ案に熊本さんが飛びついたのです。

理由は他のプロダクトに比べると、ミミカキは1本の棒ですから、素材量が少なくて済む。その分原価も抑えられるからです。そしてなにより決め手となったのが、眼鏡の加工法が使えるので新たな設備投資も要らないし、特別な技術も必要としなかったこと。しかも1枚の板から効率よく削り出せるので無駄もない点でした。

とはいっても、されどミミカキです。

どう見ても他人から見れば冒険です。キッソオの社内では自社ブランドで女性向けのアクセサリーをつくろうとしている矢先で、まったく違う雑貨をつくる案に反対意見が出てつぶされかねない。熊本さんは、商品化を内緒で進める「暴走」に打って出ました。それだけ、形にしたかった、結果を出したかったのだと思います。

これまでやったことがないことに挑戦するときは、時には無謀とも思える行動や思い切りが必要になります。苦しいときはどうしても守りに入るし、悲観的になりがち。でも、新たな一歩を踏み出さないと、なにも変えることはできません。僕らも不安はあったものの、熊本さんの真剣さと熱意に引き込まれるような形で企画はどんどん進み始めました。

ところが、試作を始めるとすぐさま壁にぶち当たったた

眼鏡のテンプル部分の加工をミミカキに並行活用する（FACTORY900）

のです。

外観がきれいなセルロースアセテート素材だけで一体成型することを目指したのですが、削り出すとどうしても先端部分が細く、薄くなる。これだと耳をかくときの加重に耐えられずに先端が折れてしまうという指摘が、工場から上がってきました。やがて試行錯誤の末、熊本さんからある提案がありました。

眼鏡フレームのこめかみ部分を加工する機械で本体に穴を開け、そこにチタンの棒を通してはどうかというものでした。実はこれは眼鏡のこめかみ部分にあたるフレームの歪みを補強するためのシューティング加工という技術を転用したもの。すべてを眼鏡フレームの製法で、しかも数万円程度の金型費用でつくることができるわけです。

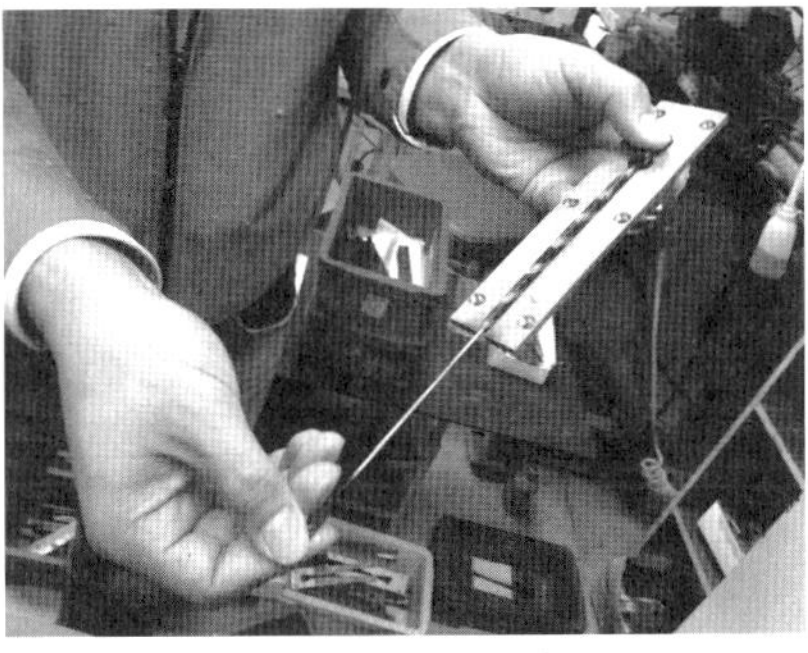

βチタンを差し込むとミミカキが完成

クスッと笑えるパッケージはこうして生まれた

商品は出来上がったものの、次はいくらで売るのか。

最初に設定していた想定販売価格から原価コストを算出していったのですが、どう頑張っても原価が3000円を超えてしまうことがわかりました。市場を調べて僕が想定していた価格は高くてもせいぜい2000円どまり。だったら、いっそ使う素材も一番良いものに変えてしまおうと、強度とバネ性に優れ、チタンでも最高クラスのβチタンに切り替えました。

「でも、こんな高額のミミカキが果たして売れるんやろうか?」

不安は募るばかりです。

パッケージのデザインが勝負を分けるだろうと感じました。

当初、社内から出てきたアイデアは試験管のような筒型のパッケージでした。商品の形状から普通に考えると筒型になるのかもしれませんが、そのままだとペンのようにレジ横で、しかも束ねた状態で売られる可能性があります。100円台の商品ならそれでも構いませんが、3000円を超える商品では販売につながらないかもしれない。

考えてみると、初めてこの商品を見る人がすぐにミミカキとわかるだろうか。なんの説明もなければ、おそらくわからないままでしょう。売り場でしっかりと接客をしてもらえるように仕向ける必要があります。そこで、売り場に並べる際に必然的に平置きされ、ある程度スペースを確保できることを狙って、箱型に変更しました。

さらに、置いてあるだけで人の目をひきつける仕掛けも欠かせません。

そこで思いついたのが紳士や少女が眼鏡をかけているように見えるデザインでした。これなら眼鏡由来のミミカキであることを見ただけでなんとなく伝えられる。「ギフトとして贈られるミミカキ」という今までにない領域を切り拓いていくうえでも、こうした遊び心が有効に響くのではないかと考えました。

説明パンフレットには「『かける』ではなく『かく』」というメッセージを加えました。商品名も「Ｓａｂａｅ　ｍｉｍｉｋａｋｉ（サバエ　ミミカキ）」とし、あくまでも眼鏡の産地鯖江の商品であることを強調しました。内職にかけるコストも惜しんで、熊本さんの奥さんにお願いするほどギリギリで調整したにもかかわらず、販売価格は税別３９００円。これにはちょっとビビりました。

なにはともあれ、２０１２年９月のギフトショーで晴れてお披露目となりました。

キッソオの熊本さんと出会ったのが2月ですから、半年足らずで商品ができたわけです。僕らの会社でもダントツの、あり得ないほどの早さ。熊本さんをはじめとするキッソオ側の、会社の現状を変えたいという熱い思いと、ためらわない行動力にただただ僕らも突き動かされたからだと思います。

とはいえ、3900円の売り値に対する不安は依然拭い去ることはできず、ギフトショーの初日を迎えるまではドキドキでした。初回に用意したのは1000個。箱の原価を考えた際の印刷の最低ロットが1000個だったので、それに合わせてつくることにしたのです。

「1000個ぐらいだったら、1年あれば

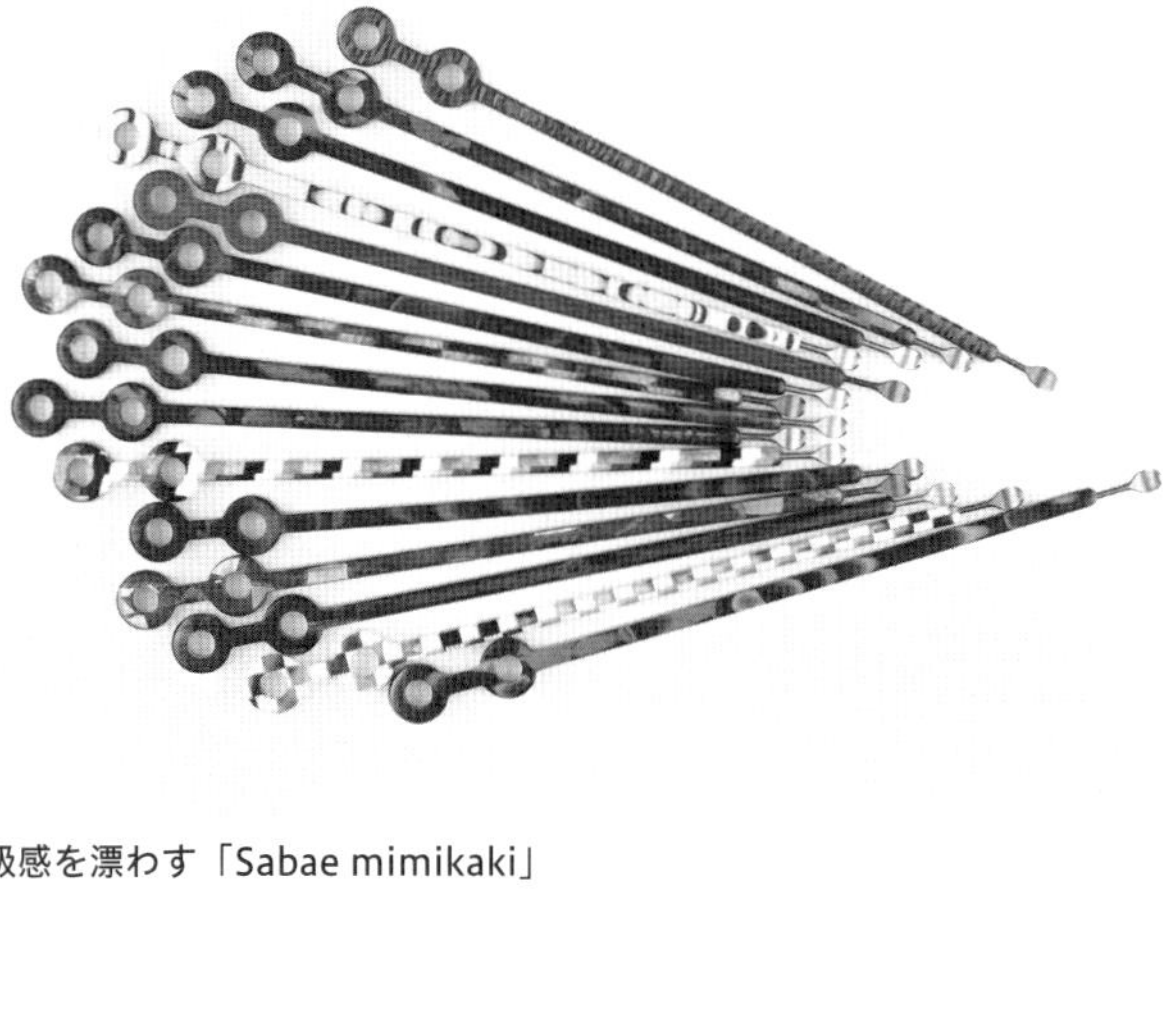

高級感を漂わす「Sabae mimikaki」

なんとか販売できるやろう」と腹をくりました。

そうした在庫のリスクはキッソオに負担してもらい、商品・パッケージ・パンフレットのデザインから展示会出展、そしてプロモーションと営業まではセメントが持つというリスクシェアをしました。

思いもかけない5000本の注文が舞い込む

ギフトショー当日はそんな心配をよそに、ブースには次から次へと来場者が集まってきました。誰もが初めて見るミミカキに興味を示している。結局、会期中に入った注文は5000本を超しました。当時、改装工事中だった梅田阪急（大阪市）から、2期オープンで開く催事の目玉で扱いたいという申し

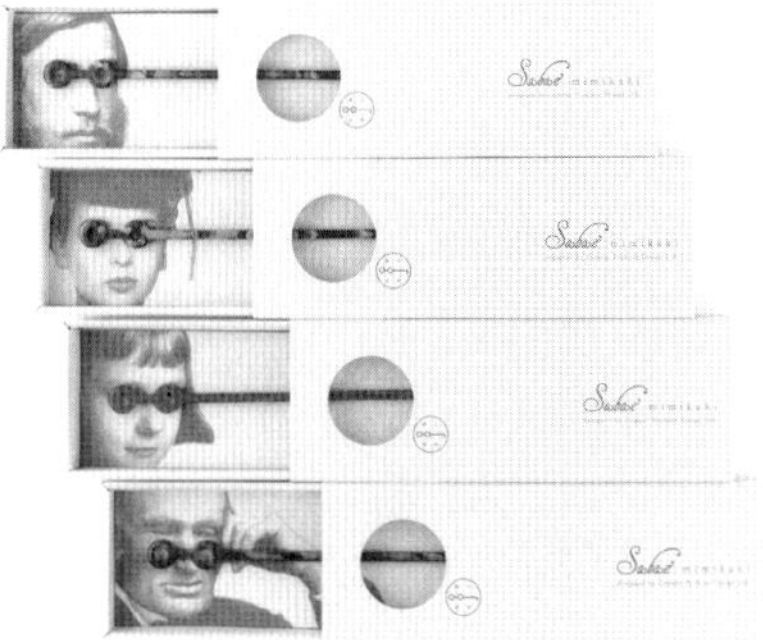

パッと見で眼鏡由来とわかるパッケージ

入れもありました。

「ひょっとしたら」という期待もありましたが、ここまでの反響は予想外でした。同時にほっと胸をなでおろしました。でも、そんなうれしさの余韻に浸っている場合ではありません。1000本しか用意していなかったので、慌ててキッソオに追加注文をお願いしました。

広告などは一切打っていませんが、メディアが面白がって次々に取り上げてくれたことも大きかった。デザイン誌の『日経デザイン』に至っては、その年の12月号で表紙にミミカキの写真を掲載してくれました。翌年にはグッドデザイン賞も受賞し、僕らにとっても、キッソオにとっても初めての出来事が連続して起こり、互いに喜びました。

こうした露出と拡散も手伝って、発売から2年で販売本数1万5000本を突破し、4年で3万6000本を超すロングセラー商品に成長しています。

その後、キッソオとは同じセルロースアセテートを使って、眼鏡フレームのレンズ枠の加工技術を応用した「Sabae kutsubera（サバエ クツベラ）」、また、丸く切削する技術で「Sabae tsumeki·r·i（サバエ ツメキリ）」を開発しました。後者は岐阜県関市の刃物技術と協業した取り組みです。眼鏡の材料と加工技術で生まれたギフト向けのグルーミングセットが着々とそろいつつあります。

ミミカキが売れ、メディアにも取り上げられ、一躍「ミミカキの会社」として有名になったキッソオ。もともと手がけていたアクセサリーも順調に伸び、５年でアクセサリー事業部の売り上げは12倍に拡大。材料商社から雑貨メーカーへのジャンプ（進化）に成功したのです。

これにともなって、財務状況も大幅に改善したそうです。なにしろ材料販売の粗利率は卸しだけに低くならざるを得ません。対して自社で開発する雑貨は粗利率が40％を超す。雑貨の売り上げ比率が高まることで債務超過だった瀕死の状態を脱し、２０１４年には黒字にも転じています。

「金融関係に追加融資を受けるのが非常に難しかった。ところが最近は、金融機関のほうから融資の話を持ってくる」とキッソオの吉川精一社長は満面な笑みで話して

セルロースアセテート素材でつくったクツベラ

くれます。どこか、「してやったり!」という思いもあるのでしょう。

また、社員を募集していないのに、吉川社長のもとには県外から「入社したい」という問い合わせが入ると聞きます。同社が鯖江、ひいては福井の有力企業として注目され始めた証しといえます。ちなみに、僕の会社も、ホームページや展示会ブースのデザインの仕事を頂くようになり、キッソオは僕達の会社にとって「相談をしてこられる会社」から「仕事を依頼してくるクライアント」に変わっています。

1つの商品、1つのデザインが会社を変える。大きい会社となるとこうした変化はなかなかダイレクトに感じにくいもの。デザインが持つ影響力とすごさをあらためて感じました。

本体にセルロースアセテートを使ったツメキリ

どうして、キッソオはピンチを突破できたのか？

ここで、キッソオがいかにして窮地から生き残りの道をたどれたのか、なにを考え、どう動いたのか、その「考動」を見ていくことにしましょう。

考動１

「眼鏡もつくる産地」と意識改革を進めた

鯖江は眼鏡の産地としてあまりにも有名ゆえに、どうしても眼鏡にとらわれてしまいがちです。でも、眼鏡業界に逆風が吹いているのなら、そのまま眼鏡に固執していてはなかなか打開策を見出せません。

「ここは近視眼的視野をもっと広げ、遠くを見よう」

キッソオにはそうした「ビジネスの景色を変える」意識改革という手を促しました。

つまり、鯖江を「眼鏡をつくる産地」と捉えるのではなく、「眼鏡もつくるが、ほかのものもつくれる産地」＝「セルロースアセテートやチタン素材の精緻な加工産地」と捉え直すのです。

　キッソオに関していえば、眼鏡の材料を扱っているのではなく、セルロースアセテート素材を扱い、加工にも秀でた会社だと考えれば、眼鏡の枠を取っ払ってもっと自由に、そして柔軟にその使い道や可能性を探れるようになるはずです。

　そうして眼鏡産地の呪縛を自らで解き、アクセサリーや雑貨といった魅力ある業界にブリッジング（新規参入）することができました。

　もともと産地内は分業の世界。キッソオは材料屋というパートをこれまで担ってきたので、材料以外に眼鏡フレームを扱いだすと材料の納品先のメーカーと競合する可能性がある。産地では商流を無視した掟破りとされることもあるのです。

　その点、ほかの業界にブリッジングすることで、そういった課題も解消できるのです。それこそ異業界への展開ですから、なにをしても迷惑をかけることがないわけです。今回はアクセサリーや雑貨など買い手が多い市場にブリッジングできたことが勝因となりました。

　ただ、これは本業を一切やめて下請けから脱する、いわゆる「脱・下請け」をしろと言っているわけではありません。これまでの下請け業もライスワーク（メシの種）ですから、あえて閉ざすことはないのです。

事実、ここ数年は中国内の生産コストが高騰しています。その影響で、日本国内に生産基地を戻す流れも起こりつつある。落ち込みが続いていた鯖江の眼鏡業界も若干の回復基調にあると聞きます。成長の可能性があるなら、眼鏡関連にも力を入れる。

そのときの流れに応じながら、打ち出せる手をなるべく手元に多くそろえておくことが大事なのです。

考動２　眼鏡の製造工程を並行活用できた

新商品を開発するとなると、新たに機械を導入し、これまでとは違う技術を使っていかなければならないと思うかもしれませんが、それは間違いです。そうした余裕があるならいざ知らず、収入が先細るなかで再生を図ろうとするならば、多大な設備投資は難しいはず。ならば、なるべく負荷をかけずに、「あるモノ、できるコト」をやってみるのが手です。

これまで手がけてきた技術や製法は、いわばその会社にとっては最大の強みでもあります。特定の素材を扱ってきたのなら、その素材に関してはとても詳しいはず。そうした強みを使わない手はありません。ポイントはそうした技術や技法、素材をいかに転用し、並行活用していけるか。そして今のマーケットにフィットさせていくかです。

キッソオとは、眼鏡の材料を使い、眼鏡の製造工程でできることに特化しました。ただし、眼鏡のテンプル部分がミミカキに発展するまでには、従来の当たり前からちょっとはずれ、これまでやってきたことを斜めの視点から見つめ直す作業が必要でした。そんな場合、得てして僕らのようなその業界の人でない第三者の視点が役に立ったりします。

例えば、眼鏡業界ではセルロースアセテートは高い素材であることは常識です。製品が高額になっても仕方ないと考えていました。でも、それはその素材の価値を知っているつくり手だからこその発想で、買う側の立場に立っていません。素材に詳しくない僕からすると、普通のプラスチックに見えるのに高いと、ちょっと二の足を踏む。高くても買いたいと思える付加価値性や遊び心が絶対条件だと考えるところからミミカキが誕生しました。

素人目線が新たな発見を生むことが多々あるのです。

考動３

眼鏡の産地で生まれたことをひと目で伝えられた

今、世の中にはステキな商品、かっこいい商品、かわいい商品があふれています。新商品だからとか、手づくりだからでは買い手はなかなか注目してくれません。その一方で、その商品がどうして生まれてきたのか、どのようにつくられているのか、誰が考えたのかなど、商品が生まれた背景やストーリーには興味を示し、意外にそうしたことに物欲を刺激されたりもする。

今回のミミカキは、その意味ではパッケージのデザインを含めたトータルな見せ方で背景やストーリーをわかりやすく伝えられたことが勝因だったでしょう。

「鯖江は眼鏡の産地」という多くの人が知っている事実を最大限に有効活用し、眼鏡の産地にいる精緻な加工をするプロが、眼鏡の製法でつくった品質確かなミミカキ。そういったストーリーを的確に発信できたと思います。

売り場では、ミミカキを手にしたお客さんが眼鏡かと思ってのぞく仕草をしている姿をよく見かけます。その時点ではミミカキではなく眼鏡と認識されていますが、これが接客のきっかけにつながったり、商品に関心を持つ発端になったりするわけで、パッケージの役割が十分に果たされたといえます。

考動4 関わった人たちの目を輝かすことができた

町工場や職人たちと協業する際、僕らは育ての親にはなれますが、生みの親にはなれません。生みの親は町工場や職人のみなさんやデザイナーたちです。僕らはデザインや企画を考え、一緒にモノづくりをするし、生みの現場にも立ち会いますが、あくまでも見守り育てていくというのが僕のスタンスです。

となると、商品開発、そしてそれに伴う会社の再生は結局のところ、関わる人がいかにやる気になって、熱意を持って取り組めるかにかかってきます。どんなに素晴らしい技術や技法、ほかにはない素材や設備を持っていようと、直接手がける人たちが前向きになり、本気で取り組まなければ大化けはしません。

倒産や廃業目前といった状況下では負け癖がついて自信をなくしたり、なにごとにも消極的になったりしがちですが、火事場の馬鹿力的にシフトしていかないと、再生の糸口はつかめません。ミミカキが大きく跳ねた理由も、直接担当してくれたキッソオのディレクター、熊本雄馬さんがなによりもこの企画に熱く熱く関わってくれたことに尽きると感じています。

その意味では、関わった人たちの目をいかに輝かせるかがピンチ脱出の決め手となります。担当者に一切の責任を持たせ、自由にやらせてみるのもひとつの手かもしれません。熊本さんの場合、社長に細かく確認を取る前に自身で暴走しましたが、それなりの覚悟と責任があったからの暴走で、アイデアが徐々に形になっていくことで手応えを感じ、さらにやる気になってくれたと感じています。

当初、ミミカキの営業は僕らがする取り決めにしましたが、熊本さんが「自分たちの手でも売っていきたい」と言うので、お互いが販売し、その分はロイヤリティ契約へと移行しました。モノづくりに参画し、ともにつくってきたミミカキに人一倍の思い入れがあったのでしょう。

さらに、今回のような成功体験をすると、人は大きく変わっていきます。

「自分に自信が持てるようになりました」

ミミカキの発売以降、よく熊本さんから聞く言葉です。彼の中でなにかが弾けたのでしょう。それまで「会社をどうしよう?」と自社のことだけで手一杯だったのが、次第に「地元鯖江をもっと盛り上げたい」「福井県でなにかを仕掛けていきたい」と視野が広がり、志も高くなっていきました。

実際、鯖江の企業が共同で商品開発をしてギフトショーに出展する「鯖江ギフト組」では異業種進出に成功した見本となって参加企業を引っ張っていますし、普段は交わることがなかった福井県の伝統工芸の若手職人を束ねて「福井7人の工芸サムライ」という取り組みも仕切っています。

全国的に有名な鯖江なのに地元特産のお土産品がないことから、眼鏡の型でつくった飴「Sabae AMEGANE（サバエ アメガネ）」というダジャレのような商品ですが、これも一緒に開発、販売しました。キッソオとしては初の食品事業となります。

さらに、旅行客に眼鏡の街をもっとアピールしようと、行政と組んで街のメイン通りを「メガネストリート」と命名。眼鏡をいたるところで感じられる仕掛けづくりにも奔走しています。まさに、「産地のプロデューサー」としての顔を持ち始めているのです。

ご当地の悩みはご当地で解決していく。これが理想です。

地域創生に必要な「風の人」「水の人」「土の人」という「３つの人」の存在の話を、ある方から伺ったことがあります。

僕らのようなよそ者はその土地に種を運び、刺激を与える「風の人」になれますが、その土地に寄り添い、種に水をやり続ける「水の人」、そしてその土地にしっかり根を張り、活動を続ける「土の人」がいてこそ、花を咲かせられるのです。

土の人であった熊本さんは、今では水の人の役割も担い始めている。これは本人が自発的に動いてきた流れでそうなっているわけで、ミミカキのプロジェクトで得られた最大の収穫はこうした人の成長に関われたことかもしれません。

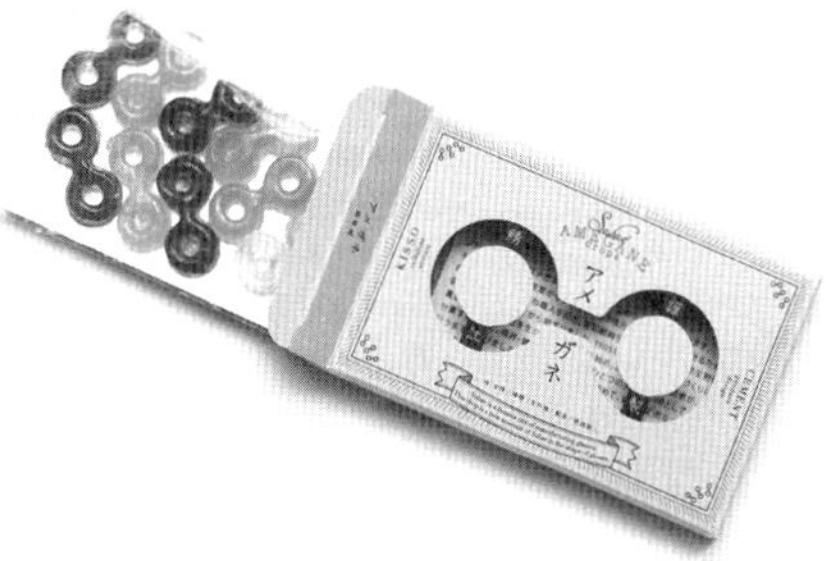

眼鏡の型でつくった飴「Sabae AMEGANE」

STORY 2

愛知県瀬戸市の陶磁器原型職人　吉橋賢一さん（株式会社エム・エム・ヨシハシ）

「手編みセーター柄の器」が原型職人を窮地から救う

「金谷さん、この人の相談に乗ってあげてよ」

僕が初めてつくったクリップ「Happy Face Clip（ハッピー フェイスクリップ）」を卸していた名古屋のインテリアショップの社長から、陶磁器原型職人の吉橋賢一さん（当時34歳）を紹介されたのが2009年、とあるパーティの席でした。

吉橋さんはその社長から言われてパスタ皿のような器を自分でつくっていたのですが、なかなか売り先が決まらず苦戦していました。確かに、どこでも売っているような、はっきり言うとあまり特徴のないプレーンな皿で、原価は2000円くらいです。

「これを販売するのは結構大変そうやなぁ」

吉橋さんもいきなり僕を紹介されて、どうしていいのやら戸惑いながらも悩んでいる様子で、「なんでもいいからアドバイスが欲しいんです」と目が訴えていました。

お世話になっている社長からの話でもあったので、無下に断りづらい感じでした。

「一度、工房を見に行きますね」

後日、愛知県瀬戸市にあるエム・エム・ヨシハシに伺うことにしました。そこで初めて、吉橋さんがすべてを担って製造しているのではなく、陶磁器の業界は分業であるということを知りました。そして陶磁器業界の厳しい現状と、窯業界の構造の中での原型職人の辛い立ち位置を知ることになりました。その事実に正直驚いたものの、同世代でもあったので、「難しそうだけど、なんとかしてあげられへんかな……」と率直に思ったのです。

「明日、やる仕事がない」。このままだと廃業に

瀬戸は美濃焼、有田焼と並んで日本三大陶磁器の産地として知られています。焼き物全体を「瀬戸物」と呼ぶ由来に関しては諸説ありますが、瀬戸焼から来ているという説もあるほどです。

かつては、日本が外貨を稼ぐための輸出品で、陶人形をはじめとする瀬戸焼が主力商品だった時代もあって、たいそう栄華を誇ったようですが、1980年代以降は輸出量も激

減。国内の和食器の需要も下降線をたどり、陶磁器の市場規模は最盛期の3分の1までに落ち込んだといわれています。当然、陶磁器に従事している会社や職人は総じて厳しい環境に置かれています。

産地特有の分業構造もあります。これはどの業界でも同じですが、陶磁器では陶磁器を焼く窯元、生地をつくる素地屋、量産のための型をつくる型屋といった分業制が確立しており、吉橋さんは原型をつくる職人の三代目に当たります。

昭和34（1959）年に大きな窯元の製型部で働いていた祖父が独立し、最初は輸出用の人形を陶器で製作。父親の代になって食器の型をつくり始めましたが、陶磁器づくりでは要でもある型を手がけているにもかかわらず、分業制では下流に位置するため工賃は安く抑えられている。

対して、その当時はクルマの部品の型を石こうでつくっていて、こちらは陶磁器の倍の工賃が稼げました。そこで、食器からクルマに転向することにしたそうです。

いっときファッション業界で働いていた吉橋さんが、28歳のときから父親の下で修業を始めた時点では、仕事はクルマの型づくりがメーンだったそうです。ところが、3D CADといったコンピュータ化が進んだクルマ業界で型が必要なくなる。吉橋さんが型職人として5年目を迎えた年にクルマ関連の仕事が一切なくなるという、まさに下請けの憂き目を見ることになりました。

再び食器に舵を切るのですが、長年クルマの仕事をしていたのでなじみの取引先があるわけでもない。それでなくても陶磁器業界は冷え込んでいます。年間５０００万円あった売り上げはあっという間に２０００万円に落ち込み、父親、自分、そして２人の従業員を抱えて、「明日やる仕事がない」といった状況に追い込まれました。

「なんとか仕事をつくらないといけない。このままでは型屋の技術が途絶えてしまう」

本来、問屋や窯元から仕事をもらっている型屋が自社で企画し、完成品を販売するのは業界的にはタブーとされていました。自分のところの商品をよく知っている型屋が商品まで手がけ始めると、似たような企画が出回るだろうと窯元や問屋が警戒したからです。仮に型屋がそうした行動に出ると、窯元はその型の仕事を引き上げるのがこの産地の暗黙のルール――そんな話も吉橋さんから聞かされました。

しかし、廃業寸前の窮地に立たされ、そんな旧来の因習にとらわれている場合ではない。当初、自社の名前を商品に刻むことを悩んでいた吉橋さんですが、とうとう商品をつくり始めたのです。

「型屋の工賃は戦後間もないころからほとんど変わっていない。この業界に入ったときから、型屋のままでは厳しいということは目に見えていたんです。いつか商品はやらなければと思っていましたが、よりにもよってこんな時期に……」

しかも、普段は1日工房にこもって仕事をしている職人が、いきなり不慣れな店回りの営業もしなければならない。吉橋さんは良さそうな店を見つけて、飛び込みで持参した皿を見せますが、ほとんどが取り合ってくれず、困り果てていました。

精巧な手彫りができるのに、どうしてやらんのかなぁ?

吉橋さんの工房に入ると、棚に細かな手彫りでつくった干支の置物や動物の造形物が並んでいるのが目に入りました。どれも緻密な彫りでできていて、素人目から見てもそれはすごい技術だとわかるものばかりでした。

「こういうすごいモノがつくれるのに、なんでこんなプレーンな皿をつくっているんやろう?」

不思議に思った僕は、新たに陶磁器業界の「常識」を知ることになります。

陶磁器の窯元では表面に凹凸があることを極度に嫌います。凹凸がある器だと、それ専用の型が必要となってコスト高になってしまうためです。つくりやすい形状の型をなるべく流用して、あとは色や絵柄でバリエーションを付けるのが陶磁器界の商売上の習わしでした。

ですから、型づくりにおいても模様を彫ることはほとんどしないそうです。親から子に技を伝える型屋の世界で、吉橋家は祖父が人形をつくっていた関係で手彫りの技術を継承していたのです。

考えてみれば、和食器は表面がつるっとした平らなものばかり。もし凹凸をつくったら、ほかとは確実に違う商品が生まれるわけですが、瀬戸では当時、そうした面倒な企画はどこも進めていませんでした。

「そもそも、ほかの人ができない技術を持っている。こんな強みがあるのに、それを使わないのはもったいない」

手彫りの高い技術でつくった置物

吉橋さんにそう説得すると、「そういう型はつくったことがない」と最初はあまり乗り気ではない様子でしたが、このままでは廃業という危機感が彼の背中を押したようでした。「でも、やったことがないのでやってみます」。

慣れない形状を商品化するために、材料の手配から量産のための段取り、窯の手配といったこれまで窯元がやっていた仕事をすべて自分で進めなければなりません。しかも型屋が商品をつくるという掟破りに出るわけだし、従来やったことがない難しい形状だったこともあって、周りの素地や窯はなかなか取り合ってくれない。商品化への道は相当に険しかったと思います。

こうして出来上がったのが、木の幹のような表面に仕上げた陶器のマグカップ「Ｐｅｒｃｈ Ｃｕｐ（パーチカップ）」です。止まり木でリスや小鳥がひと息つく様子をイメージしました。

マグカップにしたのは、皿のようにいろいろなサイズをそろえる必要がなく、リスクを抑えて１サイズで販路展開していくことができるからです。また、食器を扱っていないインテリア雑貨店や文具店でも、マグカップなら扱ってもらえる可能性があり、間口の広がりが期待できました。

商品化に当たっては、一度に１０００個くらいをまとめて焼成しなければ価格が見合わないことがわかりました。ただ、同一デザインの商品では販売しても売れ残り、デッドストックになるリスクがあります。種類を増やす工夫が必要でした。

「初回はできるだけリスクを抑えながら、多品種展開ができないか」

そこで、メインの木の形状は１種類で、デザインは小鳥とリスの２つを設計。商品にかける釉薬を白、茶、緑、青、グレーと分けることにしました。こうすることで、初回生産分の１０００個を10品番に分けることができ、各々１００個単位の在庫で済むようになったのです。

商品の種類が増えたことで売り場に並べた際も映えるようになり、あちこちの小売店から引き合いがあり、ボチボチと売れ始めました。

木の幹のような陶器製マグカップ「Perch Cup」

商品を通して、誰もできない技術が知れわたる

同時進行で企画を進めていたのが、手編みのセーターを思わせる模様を表面に彫り込んだ陶器の湯飲み茶碗「Ｔｒａｃｅ　Ｆａｃｅ（トレースフェイス）」です。細かな編み目模様を緻密な手彫りで再現しています。まさに「手編み」を「手彫り」で表現したわけです。ラタン柄もあって、いずれも原型を完成させるのに、吉橋さんは連日何度も型の試作をつくり、僕らとやりとりをしました。調整までに数週間を要した労作でした。

やっと完成した原型でしたが、窯元泣かせでもありました。

美濃の窯元で焼いてもらいましたが、表面に凹凸のあるものを焼いた経験がなく、最初はつくった半分が不良品となってしまったのです。何度か焼きを重ねるうちに、次第にコツをつかめてきました。新しいことに挑戦するときは、いつもこうした手間と面倒がつきものです。

「やってみたことがないので、やってみる」

この言葉が、開発をする吉橋さんの口癖になっていました。

新たな工夫も必要でした。

陶磁器は通常、つやを出すために釉薬を仕上げに塗っています。トレースフェイスでも釉薬をかけてみたのですが、せっかくの凹凸が釉薬で埋まってしまうのです。そこで思い切ってかけるのをやめました。すると、編み目がより立体的に浮き上がり、手に持ったときもしっとりと心地良い凹凸感を楽しめる仕上がりになりました。

こうした苦労の末に完成した商品は「今まで見たこともない」と、たちまち話題になりました。デザイン性の高い商品をそろえ、全国の小売店がその動向に注目する東京・表参道のミュージアムショップ「ＭｏＭＡデザインストア」が発売後まもなく導入してくれました。また、ほどなく人気雑貨店から似たような商品が登場するという、いわゆるコピーも横行。それだけ、市場にインパクトを与えたのだと思います。

その後、同じセーター柄のどんぶりやランプシェードも

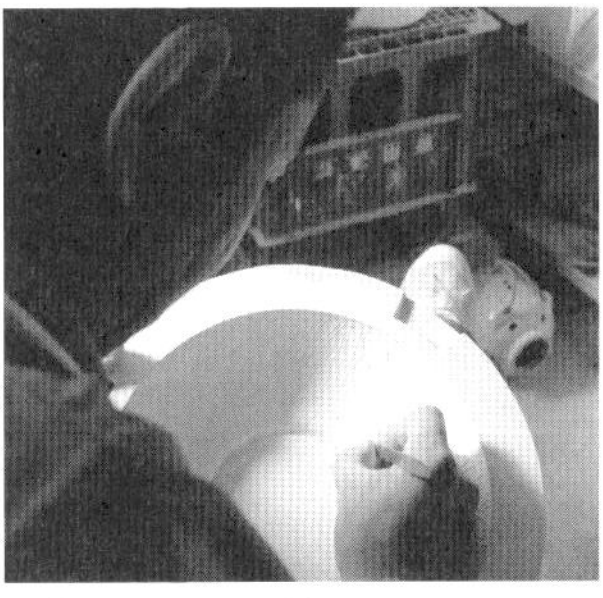

緻密な手彫りで型をつくる

手編みセーターを思わせる「Trace Face」

開発しました。ちょうどそのころ、テレビ番組『ガイアの夜明け』（テレビ東京系列、２０１２年11月放映）が僕らのことを取材していて、一連のモノづくりの模様が番組として流れたこともあって、反響は予想を超えるものとなりました。

とりわけ、吉橋さんの周辺ではものすごい変化が起こったのです。

なにしろ、それまで地元の瀬戸ですら彼の存在は知られていなかったわけです。それが一気に、「高い手彫り技術で細かな仕事をこなす職人」として全国区の知名度を手にすることになったのです。

原型職人の廃業が相次いでいた瀬戸や美濃の窯元からは、原型の依頼が殺到しました。また、インテリアショップからは自社商品の製造依頼が持ち込まれるし、いろいろなところで断られていた難しい仕事も吉橋さんならできる

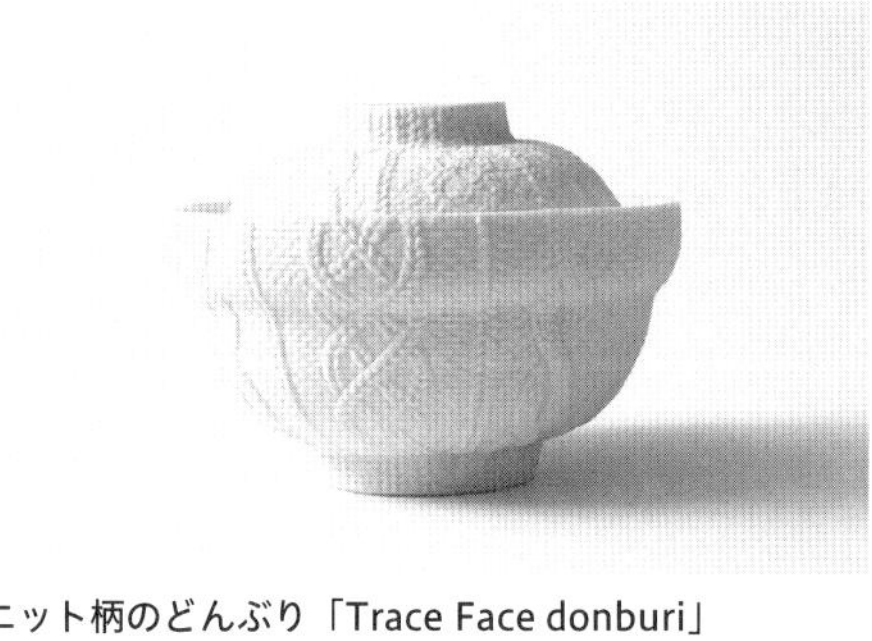

ニット柄のどんぶり「Trace Face donburi」

かもしれないと相談される。かつての開店休業状態が嘘のようです。あまりにも依頼が増え過ぎてキャパシティを越えたため、今は新たな仕事は逆に断っているようです。

その一方で、メーカーへの転身も着々と進めています。すでに型屋の技術を生かして2つの食器ブランドをオリジナルで開発し、東京で開かれるインテリアの総合展示会に単独のブースで出展しています。

型屋の仕事は職人の力量頼みのところがあるし、窯元の浮沈にも振り回される。それよりも自分で開拓していける道を選んだということなのでしょう。でも、それだけではないはず。自分がつくった商品を人が手にし、また別の人に渡っていく。原型づくりでとどまっていたときには感じたことがない手応えと実感、そして喜びが吉橋さんを動かしているように感じます。

ランプシェード「Trace Face Light」

どうして、吉橋さんはピンチを突破できたのか？

陶磁器原型職人の吉橋さんがなぜ廃業のピンチから脱せられたのか、その考動を整理していくことにしましょう。

考動1
とりあえずパスタ皿をつくってしまった

これはやってはいけない考動だと思います。町工場はすぐに機械を動かそうとするし、職人は手を動かすことばかりを考えがち。彼らは仕事がなく、なにもつくらないことを「悪」と感じでしまうのです。また、つくっていないと不安なのでしょう。それで、とりあえずつくってしまう。

でも、とりあえずつくる商品は、深く考えられていないことが多く、結果的には在庫を増やし、それでなくても苦しい自分の首をさらに絞めることになってしまうものです。

吉橋さんも、仕事がなく、現状をなんとかしようと、あまり特徴のない皿をつくってしまい、売ることに苦労していました。とりあえず、右脳的なアクションだけで動いてしまい、企画意図をあまり考えていませんでした。また、どこで売るのかという流通のことも考えずにつくってしまった。これでは売れません。

ほかと似たような商品をやめて、誰も見たことがなかった柄のある器をつくるという手に出たことで、吉橋さんは窮地からはい上がることができたのです。

考動２　素晴らしい技術の活かし方を見つけた

自分にはどういうことができるのか、ほかができなくて自分にできることとはなにか。そういった強みに気がついていない町工場や職人が多い。これはとてももったいない話ですし、ピンチのときほどその強みが頼りになる武器になっていきます。自分の会社にはどんな設備と技術があるのか、一つひとつをバラバラにし、見直してみるといいでしょう。

いつもやっている仕事だけを見つめるのではなく、ほかにできることがあるのではないか、その設備からどんなことができるだろうか――自社の強みになる可能性を前もって洗い出して整理しておくことをお勧めします。

吉橋さんも細かな手彫りの技術を持ちながら、その活かし方に気づいていませんでした。こうした技術をわかりやすく伝えていくには、その技術を最大限に活かした具体的な商品にするのがひとつの近道でしょう。商品にすることで多くの人が見る機会が増えますし、そうすることでメディアが取り上げてくれるチャンスも増える。

自分の会社の技術や素材、付き合っている人や会社などの人脈――見える資産と見えない資産を知り、その資産を有効活用できる手を考えてみることが、常に肝要です。

考動3 凹凸のある器をつくらないという常識を覆した

なにか新しいモノをつくり、今までにないコトを起こすときは常識を疑い、常識を覆すのがある意味、「常識」です。そうしたところから光明を見出せたりするものです。

陶磁器業界では表面に凹凸がある食器をつくってきませんでした。その都度、専用の型が必要になるし、焼くときも不良品が出やすい。また、通常のシンプルな形状よりも原型も、量産化の型のコストもかさみますし、手間もかかるからです。

でも、つくりやすいということはいわばつくり手の都合であって、買い手が欲しいと思う、売れる商品をつくるという発想とは違ってきます。同じような商品が氾濫している今、少しでも商品を売りたいと願うなら、売り場にない商品をつくることです。

型屋だからこそ、小さな会社だからこそ、大きな会社ではできない面倒なことを、思い切り最大限にやってみる。そうすることで、窮地を突破するチャンスが広がることも僕らは実感しました。

当然、今までやったこともないことに挑戦するのはいつも手間がかかるし、面倒も多い。吉橋さんも手編みのセーター柄を彫るのにものすごい時間と手間をかけました。焼くときも、凹凸に慣れていない窯元は苦労していました。でも、こういうことは新たな挑戦にはつきものだと僕は思っています。

新機軸を打ち出すには、労を惜しまずやるしかない。小さな会社こそ、こうした面倒なことや手間がかかることに挑戦していくしかないのです。時代に見合った新たな価値を生み出していくうえで、つくり手にとって不可欠な考動だと思います。

そして、それを乗り越えた先に、誰も手に入れたことがない独自性や新しさ、そして買い手に与えられる驚きや喜びが待っているのです。

STORY 3

静岡県熱海市の建具製作　有限会社西島木工所

建具の技から生まれた「まな板」で再生の道筋を開く

２０１２年11月に放映されたテレビ番組『ガイアの夜明け』（テレビ東京系列）で、ＳＴＯＲＹ２で紹介した陶磁器原型職人の吉橋さんとの商品開発の模様が紹介されました。この番組を見て、なんと番組の放映中に僕のＦａｃｅｂｏｏｋアカウントを探して直接メールを送ってこられた人がいらっしゃいました。静岡県熱海市で建具製作をしている西島木工所の西島洋輔さん（当時26歳）でした。

「ぜひ、一度お会いしてご相談したいことがあるのですが……」

会社のＨＰの問い合わせからではなく、いきなり僕へメールを送ってきた時間と内容から、切羽詰まった雰囲気が伝わってきました。数日後に、「では、お会いしましょう」とメールを返すと、父親で木工所の２代目の則雄さん（61歳）と、一緒に木工所で働く母親の祥世さん（54歳）、そして洋輔さんの３人が僕の東京・表参道の事務所にやってきました。両手にはパンパンに膨れたキャリーバッグや紙袋をさげていました。

事務所に入るやいなや、バッグからおもむろにいろいろな木工細工を取り出します。組子でつくった置物やコースター、薄く切った木のしおりやブックカバー……。すべて自分たちで考えてつくった商品とのことでした。

得意先の工務店からの仕事が激減。年商はピーク時の４分の１に

昭和22（１９４７）年、洋輔さんの祖父が創業した西島木工所は、障子や襖といった建具をつくっています。仕事はほとんどが地元の工務店からの下請けで、周辺の新築住宅や熱海界隈の旅館が主なお客

建具の技術でつくった木工雑貨

さんでした。

ところが、住宅の洋風化やすべてを自社内で完結するハウスメーカーの進出で建具の需要が激減。加えて、1980年代には800施設を超していた熱海の旅館も倒産が相次ぎ、4割以下の規模に減ってしまった。西島木工所の得意先だった工務店のなかには、そのあおりで連鎖倒産をするところもありました。

現在、各地でよく聞く、下請けにとって非常に厳しい事態が西島木工所にも起きている様子でした。

2000年の介護保険の開始にともなって、保険を適応して住宅内に手すりなどが取り付けられるようになると、そうした住宅改修の仕事を請けて建具の需要減の穴をふさいできました。ただ、次第にその手の仕事にも年々競合が現れ、受注量は減り始めたのです。ピーク時に9000万円あった売り上げは、僕が相談を受けたころには4分の1まで落ち込んでいたのです。

父親、母親、そして70代の職人の3人でも食いつなぐのが精一杯だったところに、大学卒業後、環境調査会社に就職していた洋輔さんがけがをして実家に戻ってきた。養わなければならない人数が増え、新たな収入源をつくろうと、自分たちで木工雑貨をつくり始めたそうです。

「建具屋なのに建具の仕事が減るのは寂しい。せめて、別の形で技術を残していこうと思ったのです」

３人はテーブルに広げた商品に対する思いを話してくれます。

見たところ、どれも観光地のお土産店でよく見かけるような商品でした。いかにも建具屋さんがつくったような、建具のミニチュア的なものが多い。自分たちの技術でつくれる、ある意味つくりやすいものをつくっているという印象を受けました。

地元のお土産店に商品を突然持ち込んでみたり（事前にアポを取って営業に行くというルールを知らなかったようです）、地方新聞に取り上げてもらったり……。市役所に何度も通って展示する場所を紹介してもらうなど、精力的に動いたそうです。周辺では「商品を売る変わった建具屋」と評判になりましたが、売れ行きはいまひとつだったようです。県が主催する、都内の百貨店の催事に出展した際に、３人は自分たちに足りないものがなんであるか確信しました。

「周りの商品と比べると明らかに見劣りがするんです。つくづくデザイン力のなさを思い知らされました」

10社以上のデザイン会社に連絡を。どこからも梨のつぶて

自分たちだけでのモノづくりに限界を感じた3人は、デザイナーの力を借りようと動き始めます。ただ、デザイナーとのつながりはないし、どこに行けば会えるのかも皆目わからない。地元の商工会議所で紹介されたデザイナーに会ってみましたが、どうも木工には詳しくない。親身になってくれる様子でもなく、なかなか意思の疎通も図れませんでした。

そこでネットでさまざまなデザイン会社のホームページを調べ、木工の作品を手がけているところを見つけては片っ端から依頼のメールを送ったわけです。ところが大半は返事がなく、あってもまともに取り合ってくれませんでした。そんなとき、たまたま僕を取材したテレビ番組を観たというわけです。

「この人だったら、私たちの相談に乗ってくれると思い、一緒に見ていた息子に『すぐにメールを送って！』と頼みました。だから、わらにもすがる思いで、伺いました」

祥世さんが笑いながら、でも視線はどこかグッと迫ってくるように言います。

「こりゃ、大変そうやなぁ……」

見せてもらった木工細工の商品では、どんなに頑張っても売り先は広がらないだろう。現状を突破するには、新たな商品開発が必要だと感じました。状況はつかめた僕は、まずは現場を見てみようと、熱海の工房に伺うことにしたのです。

工房内にはいかにも使い込んだ印象の機械が並んでいる。先代が購入した半世紀を超す代物で、角材を切断する際に使うそうです。ただ、建具用なので、刃物は真っ直ぐに切れるものしかありません。考えてみれば、建具は四角か直線です。

木工所というと、木工製品ならなんでもできるかと思いがちですが、建具屋は真っ直ぐ切ることに長けていて、家具工場のように曲線や丸に切ることができない。しかも、刃物が大きいので、細かな木の切断には不向きという。そのうえ、扱っている木材はヒノキなど限られた素材になる

西島木工所の工房。半世紀前の機械が並ぶ

とのこと。

工房から少し離れた別の棟に、別の機械がありました。レーザーの彫刻機で、木に文字や絵を描ける。旅館の看板やメッセージ板などを手がけることもあったようですが、ほとんど使われていませんでした。

「この機械ぐらいしか強みらしい強みがない。できないことが多すぎるわぁ」

この現場で新たな木工製品を生み出すには過酷な状況でした。

そうはいっても、新しく機械を導入することは今の経済状況では無理な話です。なにか手立てがないのか——開発補助制度などを活用できないかどうか、念のために熱海市役所にも掛け合いました。ところが、熱海市の事業の約85%がサービス業ということで、観光や食品関連では助成金があるが、製造業関連では該当するものがないという担当者からの回答でした。

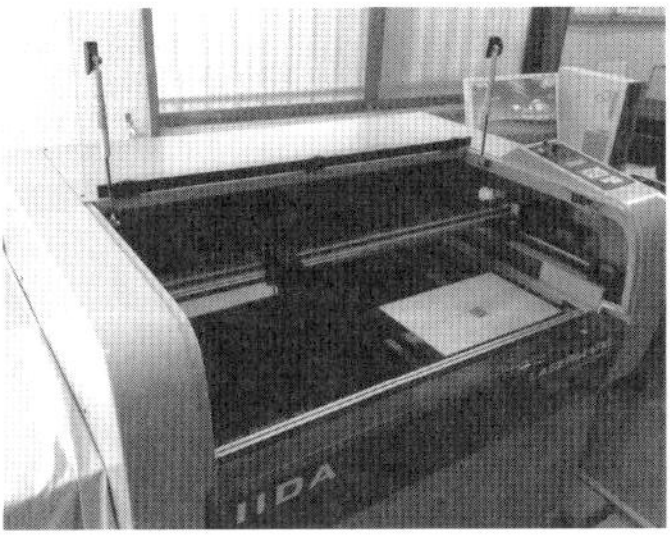

ほとんど使われていなかったレーザー機。名前などを彫れる

行政の助けはないし、資金援助で頼れるところもまったくない。使えるお金がないので、デザインすることも、スタッフを同行する予算もない状況では、さすがに仕事としては受けきれないというのが正直なところでした。ただ、西島家の思いは痛いほど伝わってきたので、僕としてはほかの仕事のついでで進めるしかないと判断。東京と大阪の出張の際に時間を見つけて会い、商品開発の納期はあえて決めない無制限という条件で開発をスタートすることにしました。

とはいっても、すぐに進展があったわけではありません。どちらかというと、これという打開策が思い浮かばず小康状態が続き、なにもできない無力感ばかりが押し寄せる。そんななか、僕らが東京のギフトショーに出展する際は家族でブースに足を運んでくる。西島家の「無言のお願い」訪問が続き、これはプレッシャーでした。今振り返ると、互いに辛い時期だったと思います。

普通のまな板だと、価格的に勝負できないだろう

できるコト、できないコトを整理したうえで、なにをつくるべきかを検討してみると、

やはりできるコトは木を真っ直ぐに切ることです。真っ直ぐにしか切れないのなら、と真っ先に思いついたのがまな板です。ただ、ホームセンターでも100円ショップでもまな板は売っている。しかも、西島木工所が使う素材は国産ヒノキで、金額は安くならない。

となると、普通のまな板では価格面で既存の商品に対抗していくことが難しいわけで、どうにか対抗できる企画を考えていかなければなりません。

「どういうまな板なら、今の暮らしにフィットするんかなぁ……」

悩める時期は続きました。

僕の会社では飲食業も手がけていて、ケータリングの仕事もしていました。あるとき、スタッフが料理を盛り付ける仕事を見ていて、ふとアイデアが浮かんだのです。

「日々の暮らしで日常的に使えるのは当然ながら、ときどき開くホームパーティでも活躍できるような用途があったらどうだろう」

SNSでもホームパーティのシーンを撮った写真をアップしているのをよく見かけます。自宅でちょっとした集まりがあったときに使えるボード。そこから実際に使われる情景をあれこれ思い描いていきました。

引越や新築祝いのときに贈られるギフトにもなると、レーザー機でオリジナルメッセージも入れられるし、むしろ高額なことが有利にも働いていきます。食材を切るまな板を裏返すと、食事を盛り付けるプレートになる。盛り付けが苦手な人でも気軽におしゃれにもてなしができるように、レーザー機で木の表面にグラフィックを施せばいい。「切る」と「食べる」２つの顔を持つウッドプレートなんて、これまでなかったのでは？

こうして生まれたのが「ｆａｃｅ　ｔｗｏ　ｆａｃｅ（フェイス　トゥーフェイス）」です。

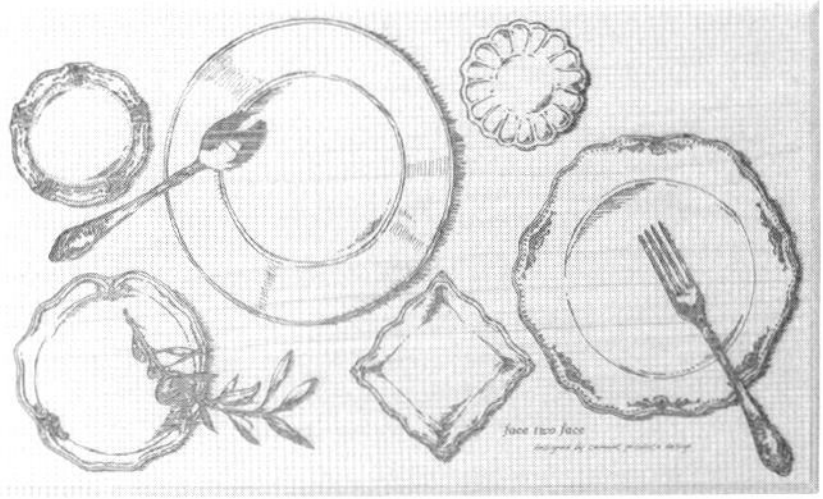

食材を切るまな板と食事を盛り付けるプレートの2つの顔を持つ「face two face」

振り返ると、完成までに1年半ほどかかりました。

どういう材質で、どのような絵柄がふさわしいのか。工房の中に転がっている木片や道具など、あれこれ見つけては現場でできる技術を確認。その技術を活かしながら試作をつくっては、僕が大阪で経営するレストランで実際に使って検証しました。

その結果、使用することにしたのが奈良の吉野ヒノキです。合板ではなく無垢の一枚板で、樹齢100年以上のもの。節がない無垢の板はあまり流通していない貴重なものです。質の高いヒノキは通常だと高額となりますが、彼らは建材にしたときに出る端材を安く仕入れられるルートを持っていました。これは強みになるかと思いましたが、吉野のヒノキとなるとやっぱり安くはありません。

こうなると、最終の価格が心配でした。上質なモノに仕上がる自信はあったものの、あくまでも買い手に買ってもらえる価格でなければなりません。洋輔さんたちには奈良の材木会社と直接やり取りをして価格面の交渉をしてもらいましたが、結果的にはLサイズで1万8000円、Sサイズで6800円。思ったほど価格は落ちませんでした。

この価格では市場的に厳しいと感じました。企画自体をもう一度見直していく必要があると考え、いったん商品の発売の延期を洋輔さんたちに打診しました。すると、彼らからの返答は「ＮＯ」。

「どうしても発売したい」

「次の仕事がほとんどない今、とにかく営業できる商品が欲しい」

もう後がないので、是が非でもやりたいという意向でした。

そこで、量産せずに、できる限りリスクを軽減できる方法で生産し、展示会に臨むことにしました。

幸いなことに、発表した２０１４年２月のギフトショーでは、両面使いができる点や今までになかった切り口で大きな話題を集めることはできました。が、話題になった分、同じようなデザインでもっと安い商品が他社から出回る可能性もある。知財の

ホテル「星野リゾート　リゾナーレ熱海」で採用された

登録なども急ぎ進めていたものの、「商品の知名度をできるだけ早く上げる必要がある」と感じていました。

そこで、市役所を通して地元で有名なホテル「星野リゾート　リゾナーレ熱海」を紹介してもらい、商品のプレゼンをしました。ちょうど星野リゾート側は地元事業者との連携を考えていたタイミングだったこともあり、ホテル内にあるツリーハウスのアクティビティツールとして採用してくれることが決まりました。全国でも注目されるホテルに入ったことが認知度アップの起爆剤になったことは言うまでもありません。

最後に生き残った者が手にするものとは?

一方、西島木工所には、「この商品は適正価格ではないので、PR活動を相当に頑張らないと厳しい」と伝えました。

さっそく彼らは、商品の資料をさまざまなメディアに送付するという地道な広報活動を展開しました。どのメディアとも特別なコネクションがあったわけではありません。NHKなどは、代表電話に連絡し、商品を紹介してくれそうな番組宛に実物を送付すると、先方から連絡があって取材に来ました。見事、朝のニュース番組『おはよう日本』のコーナーで取り上げてもらいました。

やはり、商品自体に面白さやオリジナリティといった力があれば、メディアも関心を示してくれるもの。そのほか、全国紙や地方紙、ウェブメディアが多数取り上げてくれました。

こうして商品が知られ、順調に売り上げを伸ばすことで、同時に知られたのが西島木工所の存在です。

「静岡県熱海市に建具屋がまだ残っている」

冒頭にも触れたように、建具業自体は今や不況業種です。家業として継いできたところも後継ぎがなく、廃業するところが増えて、熱海周辺にもほとんど残っていないそうです。

でも、建具の需要がまったくないわけではない。やり手がいなくなれば残ったところに仕事が集まる構図です。辛くてもなんとか急場をしのぎ、会社をつぶさずに生き残れたからこそ、手にできる残存者利益です。

西島木工所にもメディアへの露出をきっかけに、本業の建具の仕事や住宅リフォームなどの請負仕事が増え、「廃業を覚悟」したほど落ち込んだ売り上げは翌年には1・5倍まで回復しました。さらに、彼らは次なる手にも動き出しています。

２０１７年10月、モザイクタイルアーティストの中村ジュンコさんとともに、組子とタイルを組み合わせた新ブランド「KUMIKO MOSAIC（クミコモザイク）」を発表。建具屋から、木工製品を扱う会社へとジャンプ（進化）しようとしています。

「組子とタイルは今までになかった組み合わせのインテリア雑貨であり素材。部屋の中を自分なりに彩りたいという人に向けて発信していきたい」

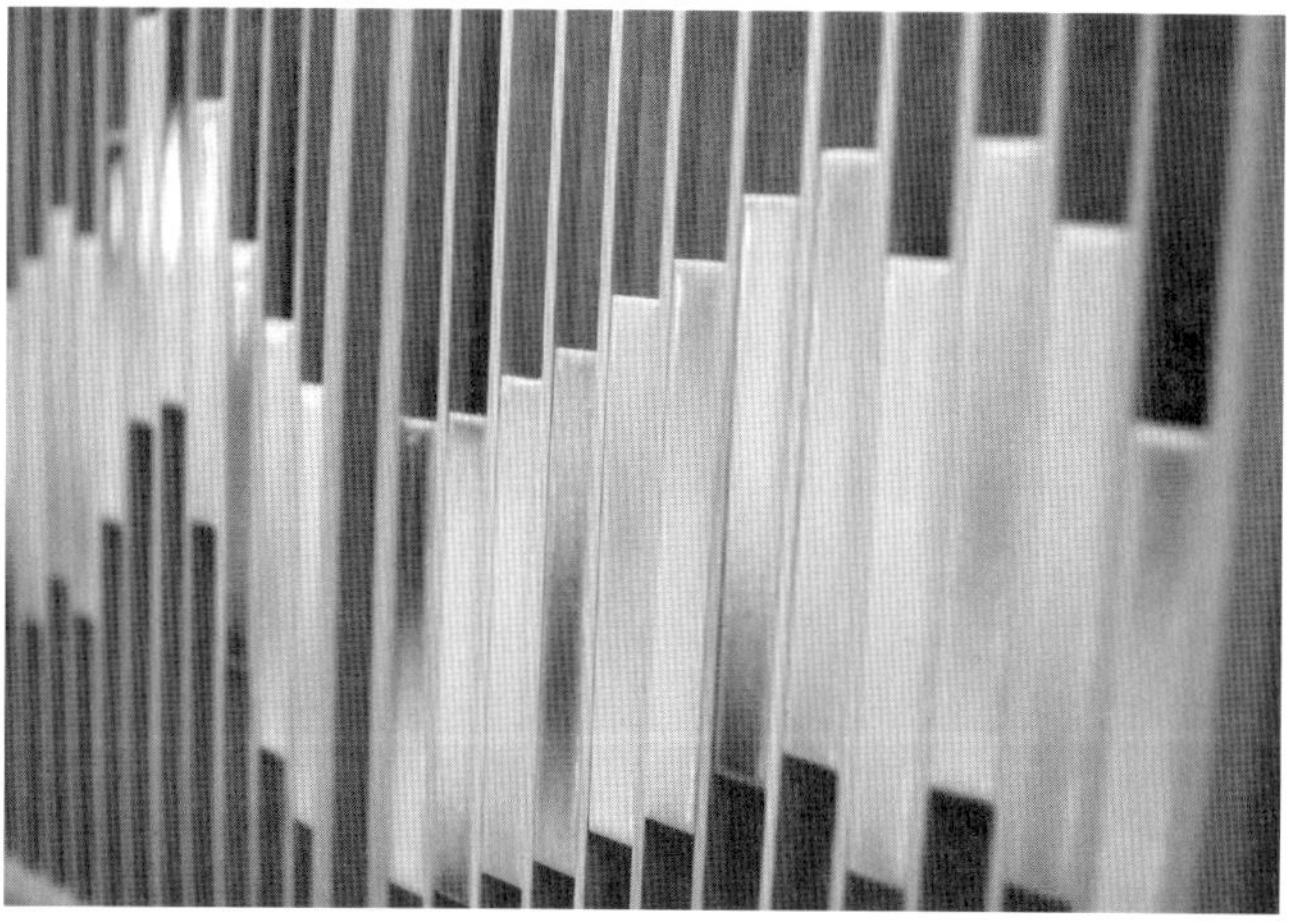

建具の技法を活かして組子とタイルを組み合わせた「KUMIKO MOSAIC」（撮影：平林ユウイチ）

ほかにはない独自性に着目しながら、今の買い手のニーズに合わせて、自分たちで開発したわけです。

周囲の状況や買い手のことなど考える余裕もなく、自分たちがつくりやすいものしかつくっていなかった西島木工所が、市場の商品動向を気にし、そして買い手がなにを考えているかを考慮しながら商品開発をするように変わった。まだまだ課題が多いなかで、とにかく自分たちで考えて一歩進んだことが、次につながってほしいと思っています。

どうして、西島木工所はピンチを突破できたのか？

廃業も覚悟していた西島木工所がどうして廃業せずに済んだのか、その考動を追っていくことにしましょう。

考動1

まな板は売れなくても良かった

商品開発となると、ヒット商品づくりと思われがちですが、それは少しばかり違います。つくった商品は売れるに越したことはないですが、その売れ行き自体よりも大事なことがあります。つくったモノから、その会社でなにができるのか、なにが得意なのか、どんな強みがあるのかといったコトが伝われば、ある意味で目的は達成です。

西島木工所の場合、極端なことを言えば、商品は別に売れなくても良かったのです。開発したまな板はどうしても高価な木を使うので、買いやすい価格までは下がらなかった。だから、当初から爆発的に売れる商品にはならないだろうと考えていました。量産ができない現場でもあったので、発売4年で販売枚数が700枚を超しているのは、期待以上の健闘でしょう。

むしろ、そうした売れ行き以上に、こうした商品をつくったことで有名ホテルとの取引が始まり、さまざまなメディアにも注目されました。そして、そのホテル内の請負の仕事が増え、ほかの事業者から別の仕事も依頼されるようになった。

結果的には、B to Cというよりは、B to Bの本業の回復が図れたわけです。また、商品開発を経験したことで、西島木工所の人たちの意識が変わっていったことも大きな成果だと思います。

要は会社をつぶさないことが最終目標なのです。

つぶさないために最善の手を繰り出していけばいいのです。残ることさえできれば、本業でほかのやり手がいなくなっているようなら、仕事は集まってきます。

ちなみに、僕らもこの仕事をきっかけに星野リゾートとのつながりができ、別の仕事を依頼されるようになりました。

考動2　真っ直ぐにしか切れないなら、真っ直ぐいくしかない

ピンチの状態にあるのなら、手持ちの技術や設備だけで商品開発に挑むしかありません。西島木工所は先代から引き継いだ、半世紀を超す機械しかない状態でした。

「そうした古い機械では今の時代に合った商品はつくれないのでは？」

彼らは勝手にそう思い込んでいるところがありました。でも、古い機械しかないのなら、それでつくれることを考える。機械が古く、できることが限られていても、アイデアが新しい手であれば、今の暮らしにフィットできる。時代に見合った商品は十分につくることができます。

西島木工所は半世紀を経た機械と、たまたま手元にあったレーザー機を活用することで、新たな商品開発を実現でき、生き残りの活路を見出せたのです。

考動3 つくりやすい商品と売れる商品は違う

売れる商品は、必ずしもつくりやすい商品ではないし、はたまた技術的に凝った商品でもありません。

西島木工所は窮地を脱しようと、建具の道具と技術を使って商品をつくろうとしていましたが、この商品を誰に向けて、どこで売るといったところまでを想定してつくっていたわけではない。ただただ、自分たちがつくれる、そしてつくりやすい商品をつくっていただけです。これは多くの町工場や職人が陥りやすい点です。

これでは在庫を増やすばかりです。営業努力を重ねても、その努力の分だけの成果はなかなか上げられないでしょう。

商品は技術ありきではなく、どうしたら買い手に買ってもらえるか、まず出口を見据えてから企画していく。その過程で、自分たちのできるコトをどう活かせるのかを考えていけばいいのです。

西島木工所はともに商品開発をしたことで、そうしたモノづくりの視点と取り組み方を改めることができ、廃業のピンチを無事に乗り越えることができました。

STORY 4

竹工芸職人　小倉智恵美さん（工房「京竹籠　花こころ」）

「竹のバングルとリング」が伝統工芸と職人の未来を編む

僕の講演で話をしたことがあった「京都職人工房」でディレクターをしている山崎伸吾さんから、ある日思いがけない連絡がありました。京都にいる若手の職人を育成するための講座を受け持ってくれないかという依頼です。

「僕が伝統工芸の職人を相手に講義するって？　それはちょっとあかんのでは？」

それまで伝統工芸の人たちと関わったことがありませんし、僕自身もまったくと言っていいほど、伝統工芸の知識も事情も知らない。

「美術品をつくっている人たちのこと？」

伝統工芸というと、美術品のギャラリーや百貨店でたまに目にする高価なイメージ。そんな程度の認識です。こんな人間が講座で教えることなどできるのでしょうか。

とっさに、「僕よりふさわしい方がいらっしゃるのでは？」と思いました。

技術ではなく、暮らしていけるノウハウを学ぶ場

京都職人工房は、京都府が国際的視野やマーケティング力を備えた職人の育成と伝統産業の活性化を目的に、２０１２年に立ち上げたプロジェクトです。京都市だけでも伝統産業に従事している人が２万人いるとされ、その数や業種の幅広さは日本随一。まさに、日本の伝統産業のへそといえます。

ただ、そんな京都もほかの地域同様に、伝統工芸品の需要は低下の一途をたどっています。職人の存在自体もあまり知られることがなくなり、なり手がいない。いわゆる職人の高齢化と後継者不足という問題も抱えています。工芸に携わる職人の半分以上が60歳以上の高齢者で、彼らの知識や技術を今の世代がすべてを引き継いでいくこと自体、難しくなってきているともいわれています。

「より崖っぷちにいる他産地の方が、いち早く行政が対策に乗り出しています。京都はこれまでぬるま湯に浸かっていましたが、もうそんなことは言っていられなくなりました」

自分と同世代の30代の職人たちが伝統工芸の仕事だけで食べていけない状況を知った山

崎さんが、このプロジェクトを発案したそうです。

職人の育成とうたっていますが、京都職人工房は伝統工芸の技術を教えるのではなく、職人として生活していける経営感覚や知識、そして今の暮らしに合ったモノづくりのノウハウやスキルを学ぶ場としています。

伝統工芸の技術を習得するには長い年月を要します。そして一人前になったとしても、1点を完成するには相当な時間がかかる。例えば、竹籠などはものによってはつくるのに3日間かかるものがあるが、それが8000円で売られていたりするのです。これでは、労働時間を考えると十分な対価とはならず、とても普通に暮らしてはいけないでしょう。

さらに、問屋から仕事を請けた場合は売り値の3分の1、業種によっては10分の1にまで原価が下がり、いわば職人の手取り分がそれだけということになるので、相当に低収益な工芸もあるのです。伝統工芸の場合、文化事業と受け止められて各自治体や国から補助金が交付されるケースが多いですが、こうした公的なお金が職人たちの生活を支えていると言っても過言ではないようです。

その一方で、伝統工芸の職人はこれまで自分たちの持てる技術で、優れた一品を生み出すことにすべてを注いできました。半面、「売る」という発想ではモノをつくってこなかった。工芸の師匠たちや工芸の専門学校も、技術は伝えてきたのですが、社会に出てどう食べていくのか、自分たちの技術をいくらで売っていくのかは教えてきませんでした。

おそらく、自分たちの高い技術を駆使した素晴らしい商品をつくれば、黙っていても売れるはずと思い込んでいる。それが今、伝統工芸が時代に合わず、需要自体が減っている現状を生んでいると山崎さんは指摘します。

きちんと売る先を見据えたモノづくりに変えていく。そのためには畑違いというか伝統工芸とはむしろ縁遠い僕の視点や考えが役に立つだろうと、京都職人工房２年目の２０１３年に白羽の矢が立ったのです。

初めてのことなので、役に立てるかわかりませんでしたが、話を聞いていると、僕が想像していたような業界のイメージとはまったく異なり、むしろいつも見ている下請けの町工場となんだか状況は似ています。次第に、町工場との仕事で得たことで、自分もなにか貢献できることはないだろうかと思い始めました。

職人相手に町工場メソッドを持ち出す

僕のゼミに参加したのは15人。年齢は20代から40代までと幅広く、伝統工芸の職人もいれば、デザインを学ぶ学生、それに町工場の人もいました。京都職人工房では京都でモノづくりをしているか、住んでいる人なら誰でも月1万円の会費を払えば参加できる、門戸を広く開いた仕組みにしています。

最初は各人がどんなことをしているのか、参加者が製作してくる試作品にアドバイスするような流れで進めていたのですが、工芸といっても参加している人たちの職種はみな違う。僕自身が伝統工芸のことを知らないこともあってうまくかみ合わないし、参加者が話している内容がすぐに頭に入ってきませんでした。

そのうち、つくってきた試作より、その人がどういった仕事をどのくらいの規模でしていて、どのような課題を抱えているのかが気になりだした。技術も経験も事業規模もバラバラの彼らと、どう進めていけばいいのか悩みました。

町工場の人たちと協業する際には、まずその工場でなにができるか、なにが得意なのかを自己分析する流れでいつも取り組んでいます。今回のゼミでは複数名で進めるに当たり、そうした自己分析をみんなで共有できる資料にしようと、まずは自己分析表の作成に取り組んでもらうことにしました（自己分析に関しては第3章で詳しく触れていきます）。

おそらく職人は「自分を知る」といった作業をした経験がないでしょう。とにかく、手を動かしてつくりたいと思っている。しかし、その前に、頭の中をいろいろ整理してからつくるものを考えていこうと、まず座学を行うことにしたのです。そして、ゼミのほかの仲間と共有していくことも考えて、共通の書式に記入してもらうことにしました。

これは工芸の職人にとってとても苦手な作業だったようで、提出された資料を見てすぐにわかりました。回答欄があまり埋まっていない。書いてあってもほんの数行ぐらいでした。その中で、詳細に資料をつくってきたのが、竹工芸職人の小倉智恵美さん（当時31歳）です。

彼女の第一印象はとても大人しく、物静かという感じでした。ですが、渡された資料からは、なんとかして自分を変えたい、職人としてもっともっと向上したいという内に秘めた熱意が強く伝わってきました。

小倉さんは神奈川県出身で、自然豊かな中で育ったことで植物や環境保全に関心を抱いたそうです。なかでも、北海道以外の日本全土で自生し成長も早い竹が、古くから日本人の暮らしを支えてきたことに興味を持ちました。

おのずと伝統工芸品や伝統文化にも憧れを持ち、地元の高校を卒業後、全国で唯一、伝統工芸を教える京都工芸専門学校（現在の京都伝統工芸大学校）に入学しました。

彼女が進んだのは竹工芸の中でも編組（へんそ）加工と呼ばれるもので、竹を割って細い紐状の材料をつくり、それを編んでいく伝統技法を学びました。分業制が多い伝統工芸にあって、1人で最初からすべてを手がけるスタイルを採っていて、籠などを製作します。

2年間、その学校で学んで小倉さんは卒業するのですが、このあたりから伝統工芸ならではの特異な環境に直面します。

竹籠をつくる工房は1人か2人ぐらいの小さな工房ばかりで、とても人を雇う経営状況ではなく、小倉さんが卒業したときはどこも人材を募集していませんでした。仕事というと、せいぜい学校で先生の助手になるくらいですが、これもすでに枠が埋まっていることが多い。つまり、いきなり職人としての独り立ちを余儀なくされるのです。

とはいっても、なにか仕事の当てがあるわけでもなく、技術もまだまだ未熟です。同期の8人と共同で工房を構えて作品づくりをしながら、生計は飲食店のアルバイトでつないできました。

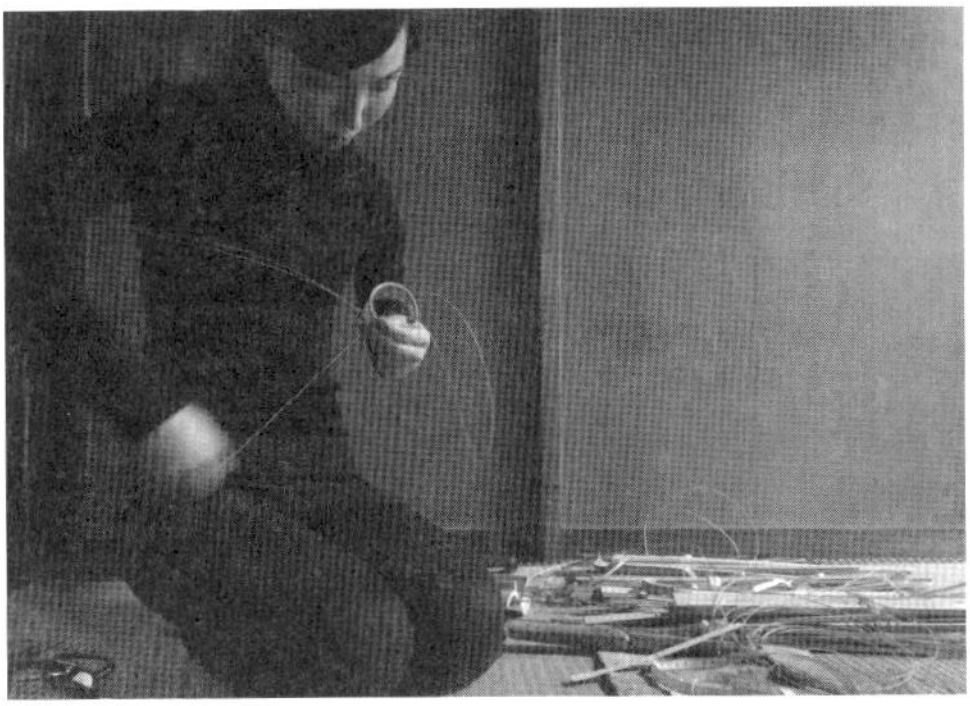

（撮影：星野裕也）

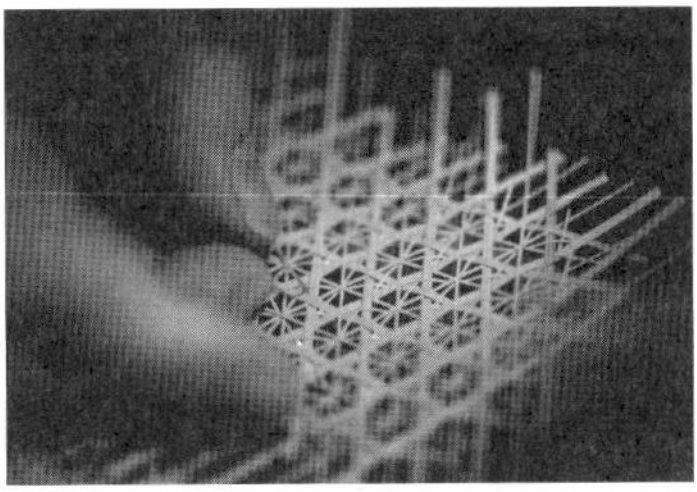

（撮影：星野裕也）

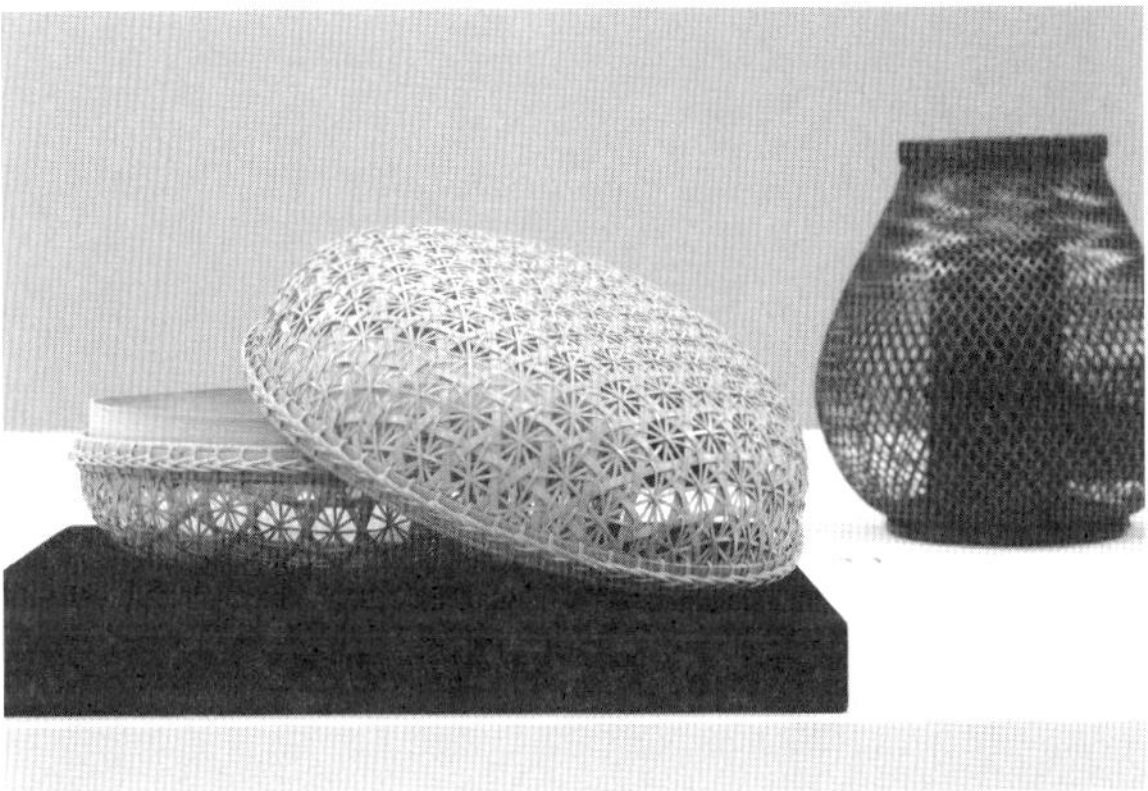

竹を割って細い紐状にし、それを編んで籠などをつくる竹工芸（撮影:林口哲也）

次第に老舗の問屋から仕事をもらえるようになり、技術も認められて高額で複雑なものも任されるようになる。ただ、前述したように工賃は価格の3分の1ですから、決して暮らしが楽になったわけではありません。

「工芸の世界はこういうものだと思っていました」

小倉さんは振り返ります。

2011年に自身の工房「京竹籠　花こころ」を立ち上げ、百貨店やギャラリーのグループ展から誘われて出展する機会にも恵まれました。これまで培った技術を披露できると張り切って出品するのですが、1万円を超す高額の商品となるとまったく売れません。

「問屋さんに卸している商品は売れているのに、同じようにつくったものがどうして売れないのでしょうか？」

老舗の問屋のように常連の顧客はいないし、ネームバリューがないのもわかっていたが、なぜ売れなくなるのかがわからず、もどかしい。どういうことをすれば売れるようになるのか、その答えを知りたくて京都職人工房の門を叩いたそうです。

自分を知り、伝統工芸の外の世界を知ってもらう

ゼミでは「自分を知る5つのフェーズ」と題した紙を各自に渡しました。

「自分の技術はなんですか？」「現在のその技術業界の状況はどうなっていますか？」といった質問とともに、売り上げ（自販、卸の割合）、今現在の仕事量とその利益率、取引先と販路、意識している事業者などを書いてもらいました。町工場の人たちに僕らが取材するのとまったく同じ質問です。これに対して、小倉さんは実に細かい自己分析をつくってくれました。

「自分のことをこうして書くのは初めてです。これまでぼんやりと考えていたことを言葉にできたのは貴重な経験でした」

彼女にとっては、自分を見つめ直す、いいきっかけとなったようです。

次にお題として出したのが、市場調査です。

世の中にはどういう商品が並んで、どういうモノが売れているのか、それをどんな人が買いにきているかを把握する作業です。これも、町工場の人たちと協業する際は行ってもらうようにしています。強制というより自主的なもので、僕の方で視察候補を紹介しました。

すると、小倉さんは東京で開かれていた見本市や都内の人気セレクトショップを精力的に回り、そこで見たこと感じたことをこれまた詳しくリポートにしてくれました。なにしろ、これまで伝統工芸の世界しか知らなかったわけですから、見たものから刺激を受け、視野が広がり、いろいろ発見があったことがリポートの行間から伝わってきました。

そうした自己分析と市場調査が終わった段階で、いよいよ商品開発です。

彼女の場合、すべてを自分でつくることになる。いつも製作しているような籠ではなく、なるべく作業量を抑え、しかも今まで籠を扱ってもらっていた売り場でないところで展開できる商品、というのが課題でした。そこで、間口が広がりやすいアクセサリーのうち、バングルとリングに挑戦してもらうことにしました。当然、アクセサリーを竹工芸でつくるのは彼女にとって初めてのことです。

アクセサリーにすることで敷居の高い伝統工芸が身近になった

当初、彼女は「街で見かけた商品はシンプルなものが多く、きっとその方が今の暮らしに合うはず」と思って、単純なつくりの試作を上げてきました。伝統工芸は、買い手を無視してとかく技術に走り過ぎるという話を常々していたことも意識したのだと思います。

しかし、世の中の傾向にただ迎合するだけでは周りと似たようなものになってしまう。それこそ街にはモノが氾濫しているので、自分らしさを押し出した差異化が不可欠なことまでは、まだ把握できていなかったのでしょう。

彼女には繊細で緻密な竹を編む技術がある。誰もまねができない技術があるのに、それを活かさない手はありません。もっと複雑な構造にするようアドバイスしました。

彼女の中では、どこまで技術を前面に出していいのか、その度合いで随分と苦労したみたいです。毎月のゼミだけでは時間が足りず、僕がほかの仕事で京都に出張に行く際は、直接連絡をしてきて、少しでも時間があるようなら試作を見せにやってきました。どちらかというと控えめで内向的だった彼女が、みるみる積極的になっていくのを感じました。

何度かやり直しをしていくうちに、ようやく満足のいくアクセサリーが形になってきました。特に、菊、牡丹、松葉、月桂樹の伝統柄に編んだバングルは、精緻な技術に裏打ちされた凛とした美しさを漂わせ、素晴らしい仕上がりでした。

でも、まだ足りないものがあります。それが色でした。

彼女自身は「竹のナチュラルの色を生かしたい」と言っていましたが、これまでの工芸品の購買者とは違った趣向を持った人たちへの提案です。いろいろな色があるとうれしいし、選ぶ楽しさもある。なによりシリーズを生み出しやすく、1つのデザインで売り場での展開も増やせる。そこで染色をしようと提案しました。

従来、竹工芸で使っていた染料は色数も少なく、また発がん性も指摘されていたので、色数も多く堅牢度もあるエコ染料を使うことにしました。バングルは5色、リングは6色の色をそろえました。こうしてできたのが「Kyoto Basketry Accessory Series（キョウトバスケタリーアクセサリーシリーズ）」です。

このアクセサリーたちが彼女を次なるステージに引き上げていきました。

2014年にパリで開かれた「ジャパン・エキスポ」に京都職人工房の仲間と出展すると、日本人の技術の細やかさを象徴するものとして海外の人たちから高い評価を受けたのです。海外のデザイナーから「一緒に仕事をしたい」と声がかかるほどでした。国内の展示会でも、伝統とモダンを兼ね備えた新鮮さが関心を集めました。

こうした活躍はすぐにメディアにも広がり、女性誌やデザイン誌がこぞって彼女を取り上げ、「竹工芸職人、小倉智恵美」の名前を多くの人が知ることにもなります。全国の百貨店からも実演販売の依頼が多く寄せられるようになったのです。

売り場ではバングルやリングとともに、これまでつくっていた籠なども並べると、以前はまったく売れなかった高額な商品が売れるようにもなりました。アクセサリーがあることで、敷居の高い伝統工芸と買い手との距離感が縮まり、さまざまなメディアで露出した「名前」が力を発揮したわけです。

ちなみに、こうした百貨店の催事では価格の６割から７割が彼女の収入となります。収益面が大幅に改善できたのは言うまでもないこと。問屋の仕事をしなくても、生活が回るようになったそうです。

竹製のバングルとリング「Kyoto Basketry Accessory Series」

「アクセサリーをつくったことで、伝統工芸にいろいろな人が触れる機会が増えてきました。とてもうれしいことです。今後もヘアアクセサリーなど新作を出していきたい」

気がつくと、物静かだった彼女が僕に向かって力強く、熱く語っています。自信が人を変え、大きく成長させる瞬間を目の当たりにしました。

どうして、小倉さんはピンチを突破できたのか？

竹工芸職人である小倉さんが職人として成長を遂げられた考動は、２つあったように思われます。

高額の籠なども売れるようになる（撮影：林口哲也）

考動1

伝統工芸と関わりのなかった僕と出会った

伝統工芸の人たちがいかに外部の人や世界と接していないのかを、僕は京都職人工房の講師を任されて初めて知り、驚きました。小倉さんは高校を卒業していきなり竹工芸の世界に飛び込み、30歳を過ぎるまで伝統工芸の世界しか知らなかったといいます。

確かに、知識や技術だけを学ぶだけなら、ほかの業界の人と交わる必要はないでしょう。でも、そんな井の中の蛙のように井戸の水しか知らないわけです。その状態では、竹工芸以外の情報はおのずと閉ざされてしまう。一方、竹工芸の素晴らしさも外に広がっていかないのです。

これまでの技術や知識だけを伝承していく「伝承工芸」と、新たな技術や知識を考えて挑戦し続けていく「伝統工芸」とは違うと僕は考えています。が、どうやら前者の色合いが濃いのが今の工芸の状況のようです。解決すべき課題といえます。

真水のままでは、井戸の中の環境は静かなまま。なにも変わることなく保たれていきますが、同時になんの変化も起こらないし、まして進化も起こりません。別のところから水を引いて、いい淀みができると多様なものが交じり合う。それが新たな変化を引き起こし、進化につながっていくものです。その意味では、伝統工芸の人たちは異業種の人たちともっと交わって、互いに刺激し合ってほしいと思います。

そして技術だけではなく、技術を活かして生計を立てていくためには、どれくらいの仕事をいくらで請け、価値を上げていくにはどうすればいいのか。今の工芸の業界をとりまくさまざまな環境では、そういった生活するうえで必要な情報を学べる機会も少なければ、そもそも工芸の学校にも教える仕組みがありません。知らないまま世の中に放り出され、技術だけを持って独立せざるを得ない今の状況のままでは、職人たちの過酷な状況は変わっていかないだろうと感じています。

小倉さんにとっては、伝統工芸をまったく知らない僕と出会ったことで、おそらく戸惑い、不安にもなり、もしかしたら恐怖心も抱いたかもしれませんが、技術をどのように活かすべきか、どうやって暮らしていけばよいのか、商品開発のために必要なことが学べ、さまざまな発見や気づきも多かったのではないでしょうか。それが着実に成長につながったと、確信しています。

考動２　つくる前に、なんでもリサーチして考える癖がついた

技術てんこ盛り。

これは町工場のモノづくりでよくある話「町工場あるある」だと思っていましたが、伝統工芸でも、「あるある」度合いは町工場以上だとわかりました。職人のみなさんは持てる技術をとにかく駆使しようとします。それ自体は素晴らしいことですが、技術の載せ方が半端ない。

職人のみなさんは、「富裕層に売りたい」と話す人が多い。そのせいか、これでもかと自分の技を注ぎ込むので、出来上がってみると驚くほど高額な商品になってしまいがちです。こうした商品を定期的に定量販売していけるのかというと、決してそうではないでしょう。つくったものを売って生活をしていこうと思うなら、何百万円もする伝統工芸品がそうそう売れるものではないということを知らなければなりません。

そもそも商品と作品はまったく違うものです。

作品であれば自分の技術や材料を余すことなく駆使して表現していけばいいのですが、商品であれば「そのモノを届けたい相手」がいるわけです。その対象者にきちんと届くための技術とそれに見合った価格、そして伝え方が必要です。

自分の得意な技術を満載した商品はいわばつくり手の想いの塊であって、届けたい相手（買い手）のことをまったく考えていないといってもいいかもしれません。

もし、買ってもらいたいと思うなら、今の暮らしの中で使ってもらえるモノをつくりたいと思うなら、やっぱり届けたい相手のことを十分に考える必要があります。相手のことをよく知らないと、つくることは難しいのではないでしょうか。

また、今の自分の状況が「安定」と「挑戦」と「伝承（雇用）」のどの段階にいるのかを見つめて、考えてみることもとても大切です。

今は生活を「安定させる仕事」をつくる段階なのか、先へつながる「挑戦する仕事」をつくる段階なのか、技術を次世代へ「伝承する（雇用できる）仕事」をつくる段階なのか。なにを優先すべきなのかを考えて、動かなければならないと僕は思います。

小倉さんは、まずは「生活を安定させる仕事をつくる」段階でした。そのためには世の中で安定した売れ行きを確保するのが不可欠です。そういった商品をつくれるようにしていくために、彼女は僕のアドバイス通り、職人になって初めて市場調査を経験しました。つくる現場で考えるだけではなく、売るための現場に行く必要があったのです。

見本市にどういった商品が出品されているのか、人気のセレクトショップの売り場を埋める商品はなんなのか、自分と同じ技術を持つ職人の商品はどういうものが並んでいるのか、どういった工夫をしているのか、いくらで売っているのか、そしてそこに買いにきている人はどんな格好をしているのか……。

自分の目で確かめ、今の自分の技術でできることを考えました。さらに技術の量を抑えて展開できる商材として、バングルとリングを生み出したのです。

「今は、なんでも調べてからつくる癖がつきました」と彼女は笑います。

ただし、こうした市場調査で見誤ってはいけないのは、今の動向を知ることは街でよく見かけるような商品をつくるためのものではないということです。

小倉さんも最初は自分の技術をあまり前面に押し出さず、世の中のシンプルな流れに合わせたモノづくりをしていきました。それが間違っていることを、試作をしながら理解したうえで、竹工芸の技術を今の時代の周波数に合わせる考動を繰り返した。そうして、ようやくオリジナリティあふれる商品を生み出すことに成功したのです全体の流れをつかんだうえで、「自分らしさ」をどう表現していくか。これが大事だと考えます。

第2章

会社や家業をつぶさず、生き残るためにとるべき「その手」

12の手を駆使すれば、難局を乗り越えられる!

倒産・廃業のピンチから、生き残りの道を見出せた4つの事例を挙げ、生き残りにつながった「考動」を紹介しました。それぞれ仕事の内容も規模も、置かれた環境も違い、とった考動も異なりますが、その根底にある考え方はどの事例にも通じるのではないかと思います。

ピンチを乗り越えるためにやるべきことは、どんな業種業界でも同じ。ある意味、いざというときは、いかなる会社も人もやらなければならないことは共通していると考えています。

そこで、僕が町工場や職人のみなさんと一緒に仕事をしてきたなかで、常々「これは肝やね」と感じた、生き残りのための「その手」をここでまとめてみることにします。

その手１

ビジネスの景色を変えて、いい風が吹く市場にブリッジング（新規参入）する

本業の売り上げが伸び悩んでいる、ないしは減っている。または下請けの受注仕事の絶対数が年々少なくなっている――こういう状態であるのなら、あなたが携わってきた業種業界は今、厳しい状況を迎えていることになります。

長年、仕事をしてきた専門分野だし、その分野でも豊富な知識や高い技術を持ち、誰にも負けない自信やプライドもきっと持っていることでしょう。その業界にはいろいろ世話になっている会社や人も多いし、太いパイプもあります。

ただ、世の中の流れや時代の気分、それに市場のトレンドは時に思うようにならないことがあります。どんなに頑張っても、逆風が吹いている中では船はスムーズに進みませんし、場合によっては転覆や座礁をしてしまうリスクがあります。

そんなとき、本業にしがみついたままだと、ピンチを突破する打開策はなかなか見つか

りません。だったら、本業だけに固執するのではなく、少し「ビジネスの景色」を変えてみるのも手だと思います。

どういうことかというと、固定化していた視点や考え方、概念をもっと緩くして広げていく。近視眼的な視野を多方向、多方面に広げて、もっと遠くを見ようとするのです。

第1章で紹介した福井県鯖江市の眼鏡商材商社キッソオは、国内の眼鏡業界からの収益が減少していることから、「眼鏡の材料を扱っている会社」ではなく、「眼鏡の材料であるセルロースアセテート素材を扱い、加工に秀でた会社」と自らを捉え直し、方向修正をしました。そして、眼鏡業界よりもいい風が吹いているアクセサリーや雑貨業界に舵を切ったことで、ピンチを脱出することができました。

眼鏡業界ばかり見ていたら、もしかしたら大変なことになっていたかもしれない。自分たちが持っているモノ、できるコトで、眼鏡以外に進出できる分野を探し、そこに新規参入するという異業種へのブリッジング（新規参入）で窮地を脱したのです。

例えば、靴でケミカルシューズというジャンルがあります。地下足袋などのゴム履物の製造が盛んだった神戸ですが、大正時代にゴムの入手が困難になり、業界環境の変化に合わせて、塩化ビニールなどの合成樹脂を使った靴を生産。靴業界にひとつの分野を築いてきました。

誕生当時よりハイテクな素材と技術で進んできたわけですが、日本語にすると「合成皮革靴」です。エンドユーザーの中には、今の時代に本革ではない合成皮革でつくっていることを、フェイクな靴づくりだと感じている人もいたりします。

でも、視点を変えてみると、合成皮革ということは「動物の皮を使っていない靴」です。極論してしまえば、動物を殺すことに加担していないことになります。

だったら、ビジネスの景色を変えてみる。

自分たちは動物の皮を使わずに靴をつくっている。加えて、それにもかかわらず売り上げの一部を愛護団体に寄付しますといったストーリーをつくって商品を見せていくとどうでしょう。動物愛護に関心の深い新たな買い手との出会いが生まれ、現場で関わる人たちの仕事への価値観も変わってくるかもしれません。

ブリッジングした先は旧来のしがらみとは無縁

陶磁器業も、窯で土や砂を高熱処理する窯業だと捉え直すと、ビジネスの景色が変わってきます。「陶磁器」のままだと、どうしても器を、それも食器をつくって売るということに目線がいきがちです。

「やっていることは窯業。『土を焼成して加工する技術』であって、別に、食器だけをつくらなければならないわけじゃない」

このように視野を広くすると、新たな販路や企画も見えてくるでしょう。

岐阜県土岐市の美濃焼の窯元と、園芸鉢を商品開発したことがあります。

国内の食器マーケットは年々縮小していますが、対してインテリアやガーデニングといった領域は元気があるし、実にいい風が吹いている。ホームセンターやインテリアショップを市場調査すると、園芸鉢は素焼きのざらっとしたタイプが主流でした。

美濃焼の窯元と開発した園芸鉢「匣庭(ハコニワ)」

でも、今は植栽を、部屋の中を彩るインテリア雑貨として楽しんでいる買い手も多い。そこで、食器メーカーならではの丁寧な仕上げの鉢をつくったのです。釉薬をかけてつやつやとした光沢感を出し、また鉢の底は器の裏側を整えるためのハマすりという技法で仕上げているので、鉢を置いた棚やテーブルを傷つける心配もありません。食器に強いつくり手の武器を活かしながら、園芸市場の従来品との差異化を図ったのです。

ビジネスの景色を変え、新たな市場にブリッジングしていくことで、旧来のしがらみから解放されるのも大きなメリットではないかと思います。

下請けをしていたり、分業制の一部分を任されていたりすると、その業界で得意先と同じ完成品を扱うことはタブーとされたり、できたとしても周囲との軋轢を生んだりしがちです。特に、産地となると商流や慣習を無視した掟破りとされるケースもあります。

その点、異業界ならそうした心配はなく、旧来のしがらみがない状況で商売ができる可能性が高まると思います。

自社が置かれている状況と課題からビジネスの景色を変えてみると、仕事もしやすくなり、おのずといい風が吹いている方向や場所を見つけやすくなることもあるのです。

その手2

自らの顔を新たにデザインする

町工場も職人も高い技術を持ち、道具や設備もある程度整っています。ただ、下請けや分業でいると、自分たちはなにをつくっているのかが皆目わからない。そんなところが結構多いようです。結局のところ、どういったことができるのか、ほかとは違う強みはなんであるかもわからずじまいになっています。

でも、倒産や廃業のピンチになったら、できること、強みであること以外に頼れるものがありません。その意味では「自分たちの顔をしっかりデザインしていく」ことが大切だと考えます。

日本の下請け事業に従事している人たちは、おそらく首から下はもうすでにしっかり出来上がっています。頼まれればなんでもできる、まさに筋肉隆々のシックスパックのようなところもあるでしょう。

問題はその上の顔。ほかの業界の人たちから認識してもらえる顔（＝売り込める仕事）

がないのです。

第1章で取り上げた愛知県瀬戸市に住む陶磁器原型職人の吉橋賢一さんは、他人にはまねができない細かな手彫りの技術を持ちながら、その活かし方に気づいていませんでした。秀でた技術を広くアピールすることもなかったので、陶磁器業界内でも知られず、まして や業界以外の人が知る由もなかった。

手編みセーターの網目のような凹凸のある器をつくったことで、「秀でた手彫り技術の職人」という顔を手に入れることができたのです。自らの技術を商品という形にしたことでわかりやすくデザインでき、陶磁器業界以外からも認識され、自社の認知につながりました。

板バネがつくれることからデザインの要素を整理する

東京都墨田区が区内の事業者の育成を目的にした「すみだ地域ブランド戦略」のコラボレーターとして僕が招かれたときに、墨田区で80年以上の歴史を持つ金属プレス工場、笠原スプリング製作所の4代目と出会いました。

工場の始まりは板バネの製造で、次第に金属プレス加工、溶接加工、平面研削加工と設備と技術を広げ、金属加工の腕が見込まれて大手自動車メーカーなどの部品をつくる下請けをしていました。

ところが、バブル崩壊とリーマンショックで主軸の下請け仕事がゼロに。メーカーから新商品の試作品は依頼されるものの、量産となると海外の生産工場に振られてしまい、厳しい経営環境にありました。苦境を脱するために独自の商品を開発したいが、部品加工の現場でなにをつくったらいいのかわからない。そもそも自分たちになにがつくれるかもわからない状態でした。

そこで工場内にある技術と設備、素材を整理したところ、複雑で細やかなプレス加工に長けていることと、難しいとされている細く長い金属もなんとか加工できそうなことがわかりました。

ちょうど僕の会社のレストラン事業で、依頼されたケータリングやパーティの仕事で、毎回終わったときに使用済みの竹のピックを廃棄していました。

「捨てずに再利用できたら、ええのになぁ」

そう話していたことを思い出し、だったらステンレスで製作してみてはどうだろうかと考えたのが「TREE PICKS（ツリーピック）」。洗って何度も使用できるカトラリーのようなステンレス製フードピックです。枝の部分に色とりどりの食材を盛り付けると、実がなった木のように見えます。

ホームパーティだけでなく、ケータリングでも使える点などが評価され、フードスタイリストから注目されるよう、僕らの方でいろいろと仕掛けていきました。メディアでも多く取り上げられるよう、各所に情報を配りました。

こうして金属加工の町工場は、「プレス加工に優れた工場」という顔を手に入れることができ、新たな収入の道を見出したのです。

顔をデザインするというと、なにやら難しいことをするのかと受け止められてしまうかもしれません

食材を盛り付けると木のように見える「TREE PICKS」

が、要は自分を知ることです。そして自己分析をして、そこで出てきた得意なことや強みの活かし方を考えていければいいのです。

その手3 自販商品をつくって自走する

顔をデザインする際に、一番手っ取り早く、効果的なのはなんでしょうか。

それは自ら販売（卸）もしていける自社商品、いわゆる「自販商品」を持つことです。自社の強みである技術（自社技術）で自ら開発した商品（自販商品）を、自分たちが販売してほしい店や買い手（目標市場）に届けます。すると、多くの人が商品を見る機会が増え、その商品に込めた技術に触れ、知る機会が増えてきます。商品があることで自社の技術やポテンシャルを広く告知できるわけです。

そうして技術が知られれば（認知訴求）、それに興味を持った新たな取引先が増える可能性もあるでしょうし、さらに本業にフィードバックされる可能性も高くなっていく。つくったモノからできるコトを伝え、ピンチを突破していくのです。

こうした自販商品を持つことは、また違う意味合いも持つことにもなります。受注や下請け型の仕事以外の収入の道を拓いていくことにもなるのです。

請負の仕事は得意先の業績に左右されますし、その仕事が大きなビジネスになればなるほど、先方の利益確保のために生産拠点を変えられる可能性があります。いつ何時切られるかもしれないし、収支の増減が読めない。海外での安価なつくり手との価格競争もあるでしょうし、仕事自体を失うリスクを常に抱えています。

その点、自販商品があれば、自社でコントロールすることも可能になるし、収支の増減も読みやすくなる。安定を図るための収益につなげていく可能性がグンと上がります。

また、自販をすることで、流通を知り、流通内のネットワークをつくっていけます。町工場や職人の最大の弱点は、モノはつくれるけど、モノを売れないこと。いくら良い商品をつくっても、

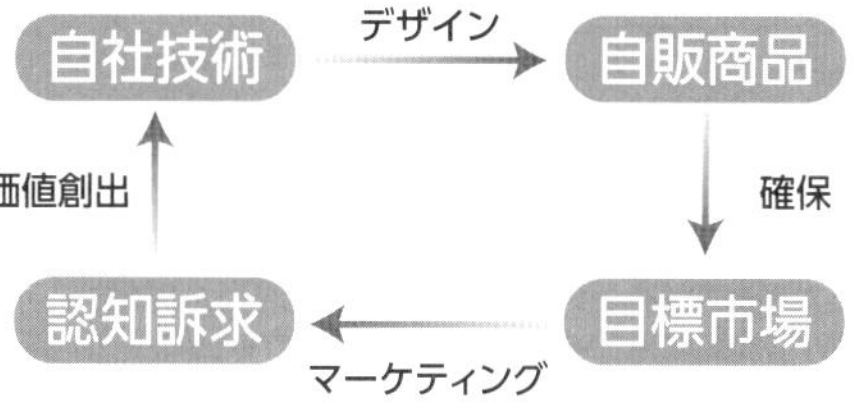

自販商品を持つことで自社技術をアピールできる

それがきちんと買い手に届かなければ、意味がありません。
自販商品を持つことで得られる、売るノウハウや経験に勝るものはありません。小さな積み重ねで商品の開発スキルを身につけ、養い、発展させる機会が増えていきます。その意味では、自販商品を持つことで請負の仕事に頼らないで済む。「自走の道」を探っていくきっかけにもなるわけです。

1店舗の売り上げは高くないかもしれませんが、自社製品での不祥事などよほどのことがない限り、少しずつ広げた販路が一気に縮まることもない。1件の受注仕事で1000万円を稼ぐのと、自販商品で100店舗に販売して売り上げた1000万円とは同じ数字でも中身が違ってくるのです。

自販商品は別に売れなくてもいい

とはいっても、ヒット商品にするのはなかなか大変です。なので、

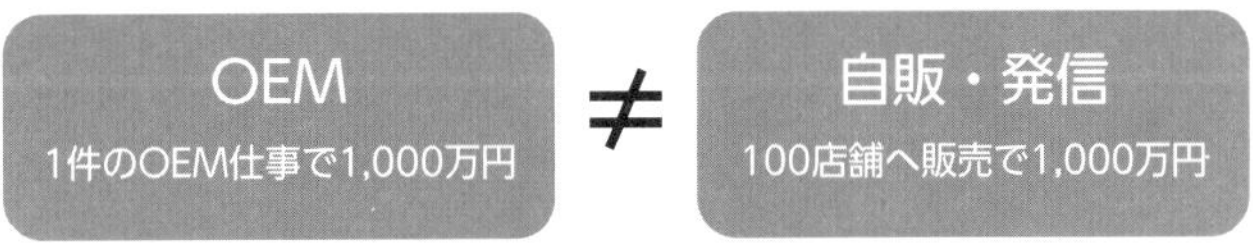

同じ数字でも中身と意味は変わります

自販商品は自社技術で「こういうことができるよ！」ということを知ってもらうことをひとつの目的にしてもよいのです。

だから、別にヒット商品に育たなくても構わない。極論すれば、別に売れなくてもいいのです。

誰しも、売り上げという有形の資産を達成できる商品や企画を求めがちです。もちろん、自販商品の卸先が１００店決まることはなによりもありがたいですし、その商品は会社にとって良い商品となるでしょう。ですが、１店舗しか卸先がなく１個しか売れなくても、その商品が１００回メディアに取り上げられれば、それも有力な資産になるのです。

メディアで１００回紹介されることで、自社技術が世の中に１００回認知される機会が増えていく。目に見えない無形の資産ではありますが、会社にとって大きなチャンスになる可能性を秘めた資産なのです。

要は、ヒット商品をつくることだけがゴールではなく、会社や家業をつぶさないことが大切な最終目標ということです。商品を製造し、販売するには在庫リスクも販売リスクも発生するわけで、自社の状況に応じて考えることが必要です。そのあたりを見間違わないようにしましょう。

もうひとつ、自販商品を持つことで別の無形資産も手に入れることができます。それは社員のやる気です。

というのも、下請けの町工場や職人の工房は得意先以外から連絡が来ることは稀だし、人の出入りもあまり多くありません。ところが、自販商品を持った途端、いろいろなお店やメディアから問い合わせの連絡が入るし、見学や取材で工場や工房に訪れる人も現れてくる。これが、工場や工房で働く人にとってはいい刺激になりますし、励みになります。

これまでつくっていたものが、たとえ機械を支える重要なねじであっても、その機械自体をつくったという手応えやイメージは湧きにくく、感情移入することはなかなかないでしょう。しかし、完成商品だと、それがお店に並んでいるだけで、「あれは私の会社がつくったの!」「あの色を塗ったのは私!」とうれしくなり、自慢になり、誇らしくなる。ましてや、その商品が売れたり、話題を集めたり、はたまたメディアに取り上げられたりしたら、それこそモチベーションが上がり、目の色が変わってきます。

第1章で紹介した福井県鯖江市のキッソオは、そもそもは他社の商品製造を支えてきた会社です。その会社が今までにないミミカキという自販商品を持つことになった。この取り組みで関わったキッソオの担当者は商品が形になり、評判となるにつれて、どんどんやる気になり、見る見る仕事自体への考え方も変わっていきました。

ついには会社のディレクターという殻を破って、鯖江、そして福井を盛り上げる産地プロデューサーにまで成長し、福井県や鯖江市から地域活性のための事業を依頼されるようになる。そんな経緯を目撃しました。

自販商品は会社を変えるだけでなく、携わった人を変え、成長させてくれるのです。

その手４
「とりあえず」ではつくらない

では、商品をつくるときにどんなことに気をつけなければならないのか、お話ししましょう。もう、良いモノをつくれば黙っていても売れる時代は終わりました。

「手仕事です」

「熟練した職人が丁寧につくりました」

「メイドインジャパンです」

「著名デザイナーがデザインしました」

こういった商品はすでに世の中にはたくさんあります。売り場にあふれていて、ほかの商品との効果的な差異化にならないばかりか、買い手もそうしたことを当たり前と受け止めて、あまり反応しなくなっています。

だからこそ、「とりあえず」という、なにも考えずに右脳的なアクションだけで商品をつくらないことです。在庫を増やし、厳しい状況をさらに悪くするだけ。決して今のピンチを脱するための考動とはなりません。

発売後、お店に並んだものの、姿が消えていった商品のベスト3は、第1位が「企画の感じられない商品」、第2位が「流通を考えていない商品」、そして第3位は「生産を考えていない商品」ではないかと考えます。

「企画の感じない商品」とは、その商品でなにを見せようとしているのか、どんな魅力があるのかがよくわからない商品です。「今、こういった傾向が人気あるようだから」と、まねを

消えていった商品ベスト3

1. **企画**の感じられない商品
2. **流通**を考えていない商品
3. **生産**を考えていない商品

↓

「とりあえず」つくってしまったものは消えてゆく

したたけであったり、その場しのぎで特徴や新しさを感じなかったり、買い手の目を引く力に欠けているために姿を消していきます。

「流通を考えていない商品」とは、どの店のどういった売り場で売ろうとしているのか、どういった属性を持った買い手に届けようとしているのかといった、目的地の設定をきちんとせずにモノづくりをしてしまった商品を指します。

そして「生産を考えていない商品」とは生産性が悪いものです。形は美しく、感性も尖がっているけど、形状がつくりにくくB品が出やすいとなると、ロスが増えます。たとえ商品が売れたとしても定量生産が難しくなることで収益面が好転しません。つくりやすい商品が良いとは言いませんが、現状の設備で難しすぎる加工をさせてしまうと、結局現場へのストレスが増えるなど長続きしません。

「富裕層に売りたい」でつくるのが一番いけない

「すでにつくってしまった商品を売ってほしい」

僕のところによく舞い込む依頼です。

ある漆器職人が漆でつくった器を持ってきて、「この商品をなんとか売りたいんですけど」と依頼してきました。見ると、どこにでもあるような漆器でした。

「○○さん、この商品はどこで売りたいのですか？」

「富裕層です」

「富裕層って、どこに来られる方ですか？」

「銀座とかです」

「銀座のどこですか？」

「日本橋三越とか、銀座にある百貨店です」

「日本橋三越の何階ですか？」

「行ったことがないのでわからないです」

実は日本橋三越自体に行ったことがなく、ただ、なんとなくのイメージでそう話していたそうです。そこで、実際に売り場を視察してもらうようアドバイスをしました。

視察の後、こういった答えが返ってきました。

「食器売り場を見てきました。ウチの商品と似たものがたくさんありました」

「あなたの商品は売れそうですか？」

「いや、難しいと思います。でも、もう１００個つくっているんですよ……」

「えええ？」

これが、商品をつくってしまった人から多い相談内容。そして、これが「とりあえず」でつくってしまうということです。

町工場も職人も、仕事がなくなり、なにもつくらなくなるとどうしても不安になり、つい機械を動かし、手を動かそうとします。現場を空けることと、機械や職人を手すきにさせてしまうことを極端に恐れます。

第1章で登場した愛知県瀬戸市の陶磁器原型職人の吉橋さんは、「とりあえず」プレーンなパスタ皿をつくって売るのに苦労していました。静岡県熱海市で建具を手がけている西島木工所も、建具の仕事が絶えてしまい、とにかくいろいろな木工細工商品をつくりましたが、まったく売れない現実に直面しました。

おそらく、なにもつくっていない、なにもしていないことを「悪」と思ってしまう。でも、僕らからすれば、目的のはっきりしない皿や木工細工をつくるほうがよほど「悪」なわけです。

そうしてつくった商品は自分の得意な技術を満載していたり、自分にとってつくりやすかったりするもので、企画が特別あるわけでもない。流通を意識したわけでもなく、生産性にも配慮していないため、ピンチを救う商材になるどころか、かえって在庫となって足を引っ張ってしまうのです。

商品をつくる際は、つくりたいと思う感情や長年の勘といった右脳だけに頼らず、しっかりと売り先や売り方を考え、自社でできることと届けたい買い手を考えるといった左脳的な要素も入れていく必要があるのです。

その手5 商品はコト、モノ、ミチの3軸で考える

そもそも商品とはなんでしょうか。

「商品」とよく並列で使う言葉で「製品」という言葉がありますが、「製品」は工場などで生産されたモノを指します。対して、「商品」はお店に並べてお客に販売するモノ。「製品」と「商品」は違うわけです。

ちなみに、「作品」は創作意欲を満足させるための表現や、活動のこと。おのずと「商

品」とも「製品」とも別物ですが、多くの町工場や職人はこの3つを混同している場合が多々あります。僕自身も以前は間違って使っていました。

自分の持てる技術をこれでもかと注ぎ込んで優れた一品をつくる。これはよく聞く「産地あるある」だし「伝統工芸あるある」ですが、これは「商品」ではなく完全に「作品」づくりになります。「作品」づくりがダメなのではなく、「商品」なら「商品」の考え方、つくり方があるわけです。

それでは、お客に販売していくための「商品」にするにはどうしたらいいのか。

まず、製品の状態ではすぐに商品になりません。製品がいろいろな要素や情報をデザインされ、設計されていくことでようやく商品となる。それがやがてブランドとなって買い手の間で知られ、支持され、ファン

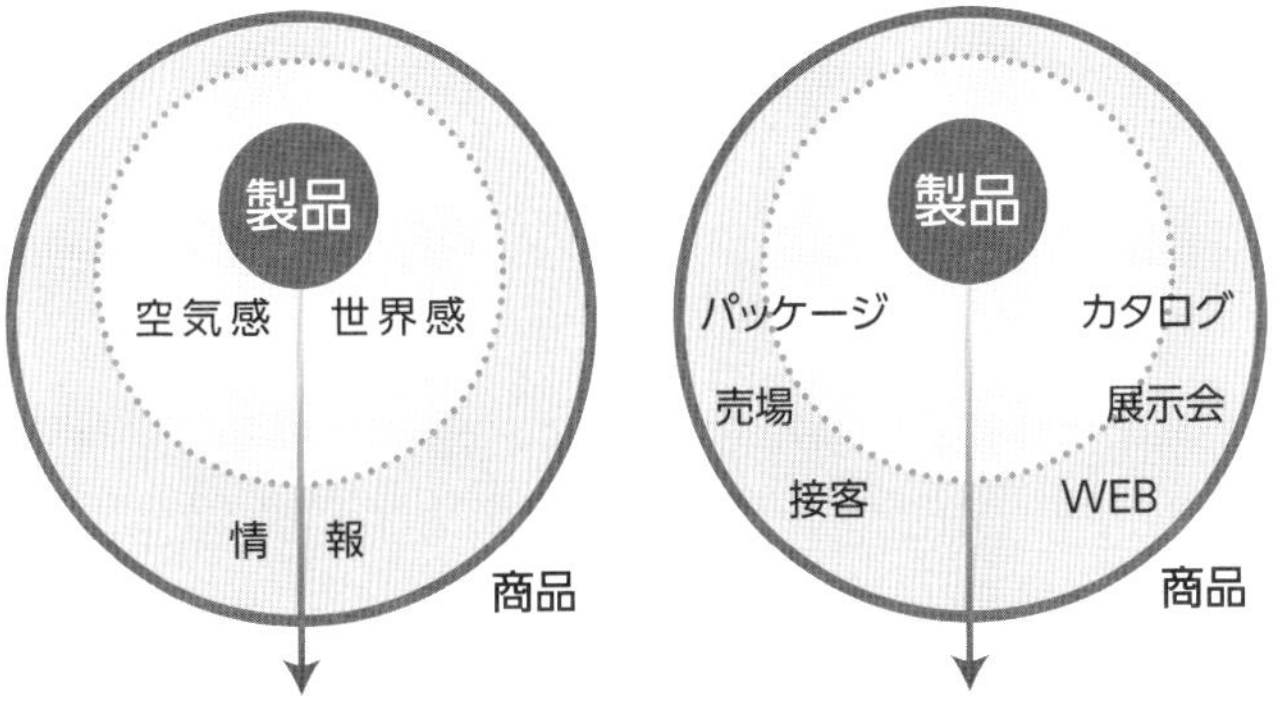

空気感と世界感の情報があって製品は商品になる

をつくっていくのだと思います。

もう少し具体的に話していくと、製品を売ろうとするときには、どう見せていくかという見せ方が必要になります。どんなパッケージに包んで、それをどのような売り場に並べ、どういった接客をしてもらうかをデザインします。これが、その製品をすっぽり覆う「空気感」を形成することになります。

もうひとつ、製品をいかに伝えていくかという伝え方も欠かせない情報です。それはカタログであったり、出展する展示会でのブースであったり、ホームページなどのデザインになっていきます。こちらは、その製品の「世界感」を描いていくわけです。

こうした空気感と世界感が備わって初めて製品は商品になるわけです。そして認知され、人気が出ることでひとつのブランドを形づくっていきます。

こう考えると、買い手はこの空気感と世界感でその商品が魅力的かどうか、買いたいと思うかを判断していることになり、魅力的な商品かどうかは製品（製造物）だけでは判断されていないことを意味しています。

例えば、「ｉＰｈｏｎｅ」は製品として見るとスマートフォンです。そこにスタイリッシュなパッケージやアップルストアの店舗デザイン、スタッフのフレンドリーな接客、そしてメッセージ性の高い宣伝などが加わることで、全世界的な人気を生んでいます。まさに、空気感と世界感があって、「ｉＰｈｏｎｅ」という商品として存在し、強いブランド力をつくっているのです。

ジュエリーブランドとして誰もが知っている「ティファニー」も、ニューヨークの本店や銀座の百貨店で買ったものをプレゼントされるとうれしい。ところが、同じ「ティファニー」でもディスカウントストアで購入し、そこのショッピングバッグに入った状態でプレゼントされたらどうでしょう。もらった人が抱いていたブランドとしてのイメージはがた落ちだし、本物かどうかも疑いたくなる。

買う店やパッケージで、ブランド価値というものはいとも簡単に崩れ、信用を落としてしまうこともあるのです。

商品デザインは技術、意匠、販路の三位一体

こう見てくると、商品は３軸で考えていかなければならないことがわかってきます。

自分の会社が得意とし、強みとする「技術＝コト」、その技術に合わせた商品の企画開

発を考える「意匠＝モノ」、そして市場調査をもとに、その商品をいくらで売るかという価格戦略や、どういうお店に並べ、どういったメディアに載せて発信するかというPR活動によって開拓していく「販路＝ミチ」が出来上がる。だから、この3軸をしっかり見据えていかないといけないわけです。

商品をデザインするとは、この3軸から考えていくこと、3軸がそろって初めてデザインしたことになります。世の中を見渡すと、とかく意匠だけで終わっている商品も多く、そうした場合は最終的に売り場から消えていく運命にあります。

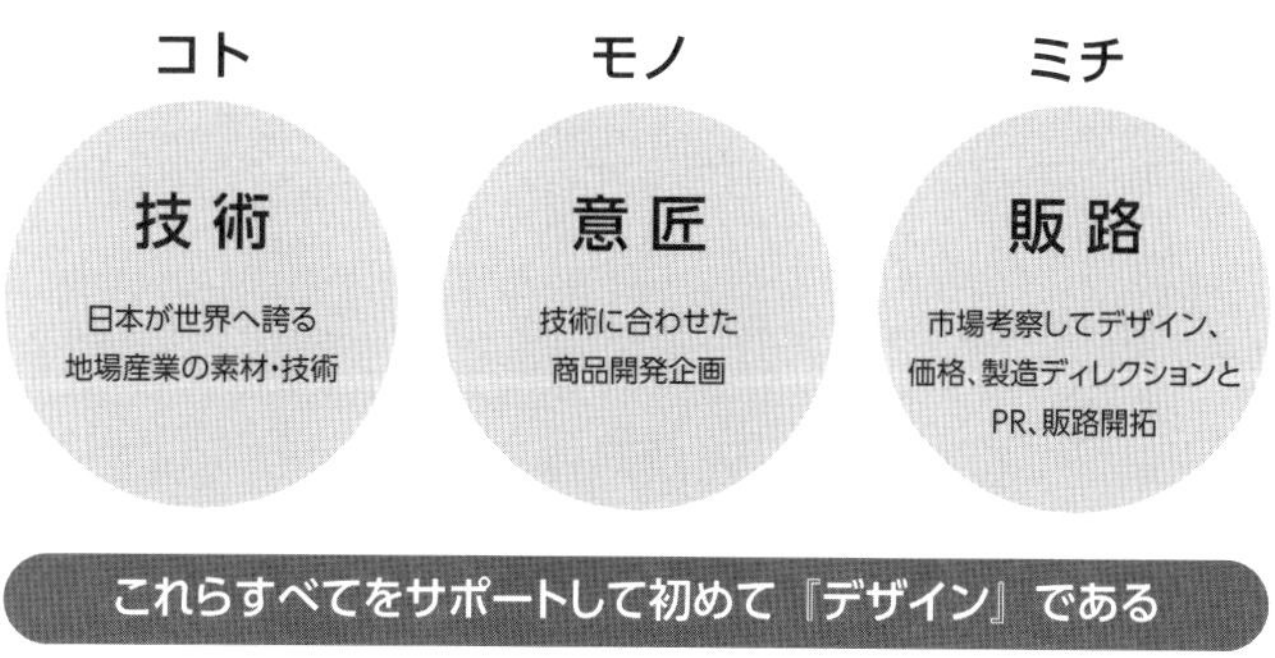

コト
技術
日本が世界へ誇る
地場産業の素材・技術
モノ
意匠
技術に合わせた
商品開発企画
ミチ
販路
市場考察してデザイン、
価格、製造ディレクションと
PR、販路開拓
これらすべてをサポートして初めて『デザイン』である

その手６

商品開発は「あるモノ、できるコト」で取り組む

今ある技術・技法と素材・設備を活かして、不必要な負荷をかけない。これが商品開発をする際の僕の基本姿勢です。

ピンチを脱して再生を図るときに、新たな設備を導入したり、やったこともない技術に挑戦したりするのは無謀なことで、あまりお勧めできません。そういった多大な設備投資や時間の余裕がないだろうし、できたとしてもさらに出費や借金を増やすことにもなる。そのうえ時間もかかります。苦しい状況をさらに悪化させかねないのです。

長年手がけてきた技術や技法は、会社や職人にとっては最大の強みです。また、これまで扱ってきた素材や設備も熟知しているし、誰よりも詳しいはず。周囲と戦い、苦境を乗り越えるために最も頼りになる武器なのです。そんな武器を使わないのはもったいないし、使わない手はない。

ただし、従来通りに使っていたら武器としての力は発揮されないかもしれません。なぜ

なら、今ピンチということは今までの使い方がマーケットにフィットしていない可能性があるからです。

であるなら、そうした技術や技法、素材と設備を別のモノやコトに転用してみる。「並行活用」をしてみると、今抱えている課題の解決につながる場合があります。

レーザー機を並行活用し、リボンからしおりが生まれた

福井県あわら市は国内で流通するリボンの9割を生産する、リボンの一大産地です。ただ、リボン自体は差異化がしづらい商材でもあり、海外から安価な商品が国内に入ってきたことで激しい価格競争が起こっています。

昭和39（1964）年創業のリボンメーカー、矢地繊維工業もそうした渦中にあって、東京のギフトショーで出会ったときには「リボンの可能性をもっと昇華してほしい」と現場の人から相談されました。リボンは包装商材ですが、どちらかというと脇役的な存在。そんなリボンが主役となって愛用されるものにしたいという想いを持っていたのです。

でも、そのまま包材業界にとどまっていたら厳しい状況が目に見えていたので、包材業

界以外へのブリッジングを模索することにしました。

リボン素材でできることはないか、社内で30以上のアイデアを考えたのですが、どのアイデアも素材を商品へ２次加工するものや、社内外でも製造が難しそうな企画でした。リボン素材そのものを加工していくしかありません。

預かっていたリボンサンプルから、あわら市内のリボン製造の現場で３社しか持っていない貴重なレーザー機を所有していることを知りました。その後現地に伺ったのですが、視察可能だったはずが土壇場で幹部の人から社外秘なので設備視察ＮＧと断られました。肝心なレーザー機を見ることができず、とても焦りました。正直、その場で帰ろうかとも思いました。

現場を見せてもらえなかったため、どういった加工ができるのかわからない。現場スタッフからは平謝りされ、しかたなくその場でレーザー機でできることを根掘り葉掘り聞くことにしました。

すると、レーザー機を使うと細かな加工はできるが、１巻き１２０円が相場とされるリボンの価格が７００円に上がってしまう。包材業界では高額過ぎてなかなか売れず、１０００万円で購入したレーザー機はほとんど稼働していなかったことがわかりました。

「この機械の活用しか、手はないんじゃないか」

さっそく、レーザー機を並行活用することにしたのです。

こうした転用の際に大切なのは、「なにをつくっている技術」からできているのかが商品から伝わることです。詳しい説明がなくても、買い手が商品をパッと見たときにつくり手がどういう会社で、なにをつくっているかがわかるような企画にする。福井県鯖江市のキッソオと開発したミミカキでも、眼鏡の加工製法でつくったことがひと目でわかるようにこだわりました。

現地での取材の中で、矢地繊維工業では業務用でリボンとしては最大となる幅14㎝の幅広リボンをつくっていたこともわかりました。これは他社が生産していない、同社だけの商品。同社らしさをこれ以上表現するものはありません。

その後、社内で出てきたアイデアをベースに、リボンにレーザー加工を施して植物を模したカットを入れることにしました。

こうしてできたのが、見せるしおり「SEE　OH!　R:ibb

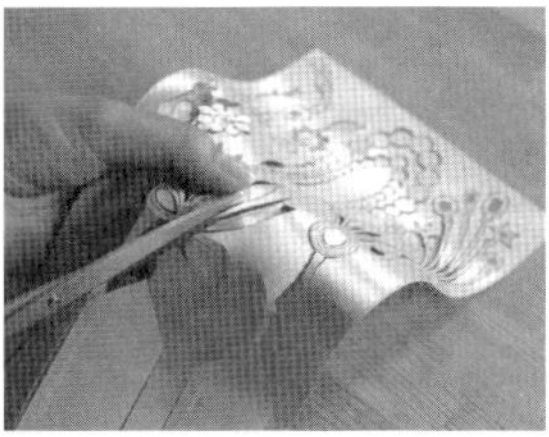

リボンから生まれたしおり「SEE OH! Ribbon」。シートから切り取る

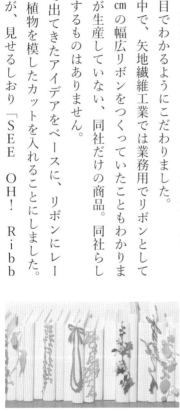

on（しおりぼん）」です。

リボンからつくられていることを企画として印象づけ、お店でも説明してもらおうと、リボンが製造される形そのままで販売し、シートからプラモデルのように小さなバリを切り取ってから使う仕様にしました。レーザーで表面を削り、裏側の色を浮き立たせるのはこの会社だけができるオンリーワンの技術です。

役目を終えると捨てられる運命にあったリボンを、いつまでも手元に残したいと思う。まさに、すでにあるモノとできるコトから、リボンを脇役から主役に押し上げる新商品を生み出したのです。

その手７
並行活用は当たり前からはずれ、斜めから見ると発見できる

並行活用は技術・技法や素材・設備を従来とは違うコト、今までとは異なるモノに仕上げていくので、これまで当たり前にやってきたモノやコトを見つめ直す作業が必要になります。

ある意味、当たり前とされていた事柄をちょっとだけずらしてみたり、斜めの視点から見たり、場合によっては、引っくり返してみたりすることも必要かもしれません。

いろいろな産地に赴き、さまざまな工芸の世界をのぞくと、実にたくさんの常識や慣習があります。そして、産地の人や職人誰もがその常識にとらわれ、がんじがらめになっているように感じます。

「その常識は本当に変えてはいけない、守らなければならん常識なんやろうか?」

外様の僕はそうした常識に出くわすと、常にそんな思いが駆け巡ります。

ひょっとすると、今の時代にはそぐわない常識になっていることもあるだろうし、そんな常識にとらわれているから、倒産や廃業のピンチを迎えることになってしまったのかもしれません。

常識を疑い、常識を覆す。これが新たな並行活用を見つけるときの手だし、新しいモノをつくり、今までにないコトを起こすときの「常識」だと考えています。

愛知県瀬戸市の陶磁器原型職人の吉橋さんとは、表面に凹凸のある陶磁器に対して釉薬をかけるという陶磁器業界の常識を覆しました。釉薬をかけるという当たり前をやめたことで、凹凸が生きた手触りのよい器にもなったのです。発売すると市場に大きなインパクトを与え、その後コピー商品も多く登場することに。すでに「器の表面には凹凸をつけない」「焼き物には釉薬をかける」という過去の常識は、常識ではなくなろうとしています。

伝統工芸とは本来、攻めであるはず

第1章で紹介した竹工芸職人の小倉智恵美さんと竹のバングルとリングを開発したときに、常識の壁は堅く高いと感じました。でも、伝統工芸から今の暮らしにフィットする商品をつくっていくには、この壁を突破するしかありません。

思うに、多くの職人たちは伝統工芸を伝承工芸と間違って理解し、誤って受けとめている節があります。

そもそも伝承とは、昔ながらの方法をそのまま伝える。いわば、絶やさないことを目的とした「保管事業」です。対して、伝統は新たな挑戦を何度も繰り返し積み上げていく、いわば今に生きていけるような改変や進化していくことが目的の「補完事業」なはず。つまり、伝統工芸は守りではなく、本来攻めていくべきものではないかと僕は考えます。

こうした攻めの姿勢で臨むことで、伝統工芸を斜めの目線でも見ることができ、工芸の技術でこれまでとは違った商品を開発する転用のやり方が見つかるのではないでしょうか。

その手8
あえて面倒なモノ、手間がかかるコトをやってみる

面倒なモノや手間がかかるコトというのは誰もが進んでやろうとはしない。でも、それは、面倒なモノや手間がかかるコトは手つかずでそのまま残されている状況を意味します。面倒や手間を惜しまずやってみると、もしかすると新たな発見があるかもしれないし、これまでになかった新奇性に出くわすかもしれない。面倒や手間を掘っていくと、誰も手にしたことがない宝が眠っているかもしれないのです。

つまり、面倒なモノや手間がかかるコトはビジネスチャンスにつながる可能性を秘めている。だから、面倒や手間を避けることなく、果敢にぶつかっていくべきです。

愛知県瀬戸市の陶磁器原型職人の吉橋さんは、「やってみたことがないのでやってみる」と、手編みセーターの模様を起こすため、何度も手彫りの型をつくり直しました。ようや

く型が完成しても、凹凸のある焼き物をつくった経験がない窯元では焼いた半分が不良品になってしまった。ここでも苦労を重ねながら、ようやく誰も見たこともない器が完成しました。

この器が、吉橋さんが持つ高い技術を多くの人に知らしめ、崖っぷちにいた吉橋さんを救い上げたのです。

とにかく、小さな会社が生き残っていくには、大きな会社がやらない面倒と手間を買って出るしかないのです。

その手 9
モノの背景にある誕生ストーリーを伝えていく

買い手は今、なにに反応するのかというと、そのモノがどのようにして生まれてきたのかといったモノにまつわる「ストーリー」に反応します。どういったつくり手が、どのような技術を使って、どんな想いを込めてつくったのかという、モノの背景が、モノそのもの以上に買い手に響いているような気がします。

だから、商品を見せるときや売るときは、この誕生ストーリーを最大限に伝える仕掛けが大切になってくると思います。

福井県鯖江市のキッソオとつくったミミカキではパッケージと商品名、それにカタログを通じて、眼鏡由来の商品であること、眼鏡のプロのつくり手が眼鏡の製法でつくったこと、眼鏡の産地の鯖江発であることをアピールしました。それが発売4年で累計販売3万6000本を超すロングセラー商品につながったわけです。

ストーリーを体感できる場づくりも重要でしょう。

つくり手の働いている風景を直接見られたり、つくり手との交流ができたりする工場や工房見学も有効な手です。新潟県燕三条地域で毎秋行っている「工場の祭典」や富山県高岡市の「高岡クラフツーリズモ」、東京都台東区の「モノマチ」などが代表例でしょう。このほかにも各地の産地では買い手参加型のイベントを積極的に仕掛けています。

僕も仕事柄こうしたイベントを見学に行きますが、やはり現場で関わっている職人たちは生き生きとしていていると感じます。そして参加者はそうした職人たちの息遣いや気迫のこもった仕事ぶりに触れ、普段は見たこともない機械や道具を目の当たりにできる。見学が終了すると誰もが興奮気味で外に出てきて、今見た現場でつくっている商品を我先に買っている光景をよく目にします。

美術館や博物館でアートを鑑賞し、感動さめやらぬうちにミュージアムショップでいろいろお土産を買ってしまうのと同じ現象が起こっているのだと思います。工場や工房を見る＝モノの現場というストーリーに触れることが買い手の物欲を的確に刺激し、いつもだったら買わない高額な商品でも買わせてしまうわけです。

２０１４年に、東京・表参道で「コトモノミチ　at　TOKYO」という、ギャラリーでありギフトショップである場所をつくりました。ここでは僕らが開発に関わった商品を並べていますが、モノづくりの向こう側を伝える場としても位置付けて

東京・表参道にあるギャラリー＆ギフトショップ「コトモノミチ at TOKYO」

います。ときどき、いろいろな産地のつくり手や職人を呼んだワークショップや場所の貸し出しなども行い、買い手とつくり手が出会い、つながる場として活用しています。

その手10 花火型ではなく、バルーン型で続ける

商品をつくること、そして売ることは1回試みただけではそうそううまくはいかないものです。

町工場にしても職人にしても、請負の仕事しかしていなかったら、自社の商品をつくることも、それを売ることも初めての経験です。当然、最初は難しいわけで、賭け事の世界ではビギナーズラックは起こったりするかもしれませんが、現実世界ではそうそうおいしい出来事には出くわさないものです。

「こういう商品をつくった」
「こんな特長（特徴）がある」
「きっと今までになかったはず」

「この商品にはこんな技術を駆使している」

こういうことを周りに気づいてもらうには時間がかかります。

高く上がる派手な花火を上げたとしても、一度きりでは見逃される場合があります。その点、バルーンなら、高く上がらないし派手でもないかもしれないが、低くても何度も上げ続けているうちに気づいてもらえるチャンスが増えていきます。

例えば、毎年新作を発表し続けることは大変ですが、それを見てもらう努力を続けていく。展示会に出展したなら、体力の許す限り出展を続ける。来場するバイヤーは何度も見かけるうちにその会社の商品に対する印象が残るし、会社名や商品名が定着していきます。たまに出展するぐらいでは、すぐに忘れられてしまいます。

国や自治体が多額な補助金を用意して、著名なデザイナーと産地の職人をマッチングする取り組みがかつて各地で行われていました。つくった作品は海外の展示会に出品され、また、メディアにもお金をばらまいて大々的な告知活動も行ったので、その瞬間は大きな話題を集めました。

関わったデザイナーは大きく注目を浴びることになりましたが、肝心の製造者側が世に知られることになったり、事業が改善されたりしたケースはあったのでしょうか。そして、開発した商品がその後、長く売られているケースはどれだけあるのでしょうか。

デザイナーと職人は、同業者ではないかと思うことがあります。よく似ています。

デザイナーはアイデアを考え、それを形にすることはできますが、売ることを見据えた発想や思考は往々にして欠けている場合がある。実際に売るノウハウを持った人が関わらなければ、買い手まで届く商品にはならないのですが、それがあまり理解されていません。

大きな打ち上げ花火は上げられたかもしれないが、おそらく大部分は姿を消し、振り返りたくない過去の失敗という「黒い歴史」として各地に記憶が残っているぐらいでしょう。

その一方で、僕が最近知った会社でカクダイというユニークな会社があります。大阪で水道用品の製造販売を行っているのですが、なにがユニークかというと、ハンドル部分が逆さまだったり、やかんの形をしていたり、はたまた手裏剣だったりするのです。どれも地元の小学生とコラボ企画をしたもので、小学生が描いた絵を忠実に商品化しています。

部門は大赤字だそうですが、ある程度売れた商品は生産を中止してしまう。とにかく常識はずれなことばかりしているメーカーです。でもその度にニュースとして拡散しているので、「おもしろい」「変な蛇口屋がいる」という記憶が多くの人に刷り込まれるわけです。

この会社はどうしてこんな戦略を採っているかというと、大手の住宅設備会社に対抗するためです。小さな会社が生き残るために、個性的な会社のキャラを発信しているのです。

花火ではなく、バルーン型を続ける。高く上げることができず、低いかもしれないが、何度も上げていると、遠く（自分が行きたいと思っている新市場）から見えるかもしれない。いや、きっと見えるに違いありません。

その手11　異なるところから水を引いて、いい淀みをつくる

各地の産地のつくり手や伝統工芸の職人は、自分たちとは異なる世界の人たちとあまりにも交わっていないように感じます。同じ知識と技術が持った同士しかいない狭い世界にいたままでは、ビジネスの景色を変えることもできなし、いい風がどこに吹いているかも

わからない。

もし、今置かれている窮地から脱したいと思うなら、もっと外に門戸を開き、積極的に自分とは異なる業種業界の人たちと交わってみるべきでしょう。そして、次のきっかけになる視点を持つために異業界を見ようとしていくべきだと思います。

第1章で取り上げた竹工芸職人の小倉さんは高校を卒業していきなり竹工芸の世界に飛び込み、30歳を過ぎるまで竹工芸の世界しか知りませんでした。京都府が職人の育成を目指した「京都職人工房」に参加したことで、違った世界に生きる人に出会い、刺激をもらいました。そして都内の見本市やセレクトショップに出向いて、世の中で支持されている商品はどういう

違う技術を持った事業者同士が出会える異業種交流会「LOBBY」

ものなのか、どういう人たちが買いにきているのかといった市場調査まで体験したのです。

この生まれて初めての経験が彼女の意識や創作活動を変え、自らの技術を広く知ってもらえるバングルとリングを生み出した。そして彼女自身はさらに進化し、成長することができました。

その意味では、これからの人間関係は師匠と弟子、上司と部下、先輩と後輩のタテや、同期や同業のヨコだけでは足りないでしょう。異業種に広がっていく「ナナメの関係性」をいかにつくっていけるかがポイントだと考えます。

僕自身は今、違う技術を持った事業者同士が出会える異業種交流会「ＬＯＢＢＹ（ロビー）」を各地で行っています。そうした場を重ねることで、異業界へ風を送り込み、新しい土壌をつくれないかと日夜模索しています。

清く澄んだ真水は居心地が良く、穏やかかもしれません。でもそのままでは波立ったり波紋が広がったりすることがなく、大きな変化も進化も起こらないでしょう。自分たちが住む場所とは別のところから水を引いて、いい淀みをつくる。すると、多様なモノやコト、知識、技術、発想が交じり合って変化が起こり、それが新たな進化を生んでいくと思います。

その手12

自分の居る場所を確認し、行きたい場所を想定する

いよいよ自販商品を商品開発しようと決めて、考動しようとします。

でも、やっぱりこんな不安がよぎります。

「つくって大丈夫だろうか」

「在庫を持って大丈夫だろうか」

そこで、そうした不確定な要素を少しでも消す努力をしてみる。

「こうしていけばうまくいくかもしれない」

「仕事が少しでも増えるかもしれない」

そんな可能性をちょっとでも上げていかなければ、なかなか実行には移せないものです。

そのためには、まず自分を知ることが欠かせません。

自分にできること、得意なこと、強みを整理し、同時に、今抱えている課題を明らかに

します。次いで、自社の目標と想いを描き、「自分の居る場所」を確認する。そこから目指す市場を定め、どういった商品を開発すべきなのか、自社を差異化できる場所を見出し、「行きたい場所」を想定します。

あとは、周囲にいる他社の立ち位置を意識しながら、具体的な商品やサービスを考えていく作業です。当然、商品を並べたいお店や意識している買い手を視野に入れながら。左脳的な作業から進めて、右脳的な仕事へ発展させていく。

これが大きなプロセスとなります。

職人の場合なら、今の自分を知ることで、「安定」「挑戦」「伝承（雇用）」のどこのフェーズ（段階）にいるのかもわかってきます。すると、次に自分がどこのフェーズに向かうべきなのか、「生活を安定させる仕事をつくる」段階なのか、「先へつながる挑戦する仕事をつくる」段階なのか、はたまた「技術を次世代へ伝承する（雇用できる）仕事をつくる」段階なのかが見えてきます。

では、自分を知る、そして自分の強みを見つけるには具体的にどうしたらいいのか、なにをすべきなのか。次の第3章で詳しく説明することにしましょう。

第3章

自分を知り、自分の強みを見つける「8ステップ」

8つのステップで自らの「武器」を探してみよう！

倒産や廃業のピンチから生き残りの手を見つけるときに、自分のことをしっかり知ることが大切だとこれまで話してきました。ここでは、そうした自分を知るための「自己分析」の進め方やポイントについて解説していきます。

自社の技術や技法、そして素材や設備をバラバラに解体し、ひもといて整理することで、どういう武器を持っているのかがわかってきます。そうした自分のことを知り、自分の強みがわかったところで、いかにして次なる手を打つかを考えます。

強みを活かせる市場、そしてそこで手がけられる可能性がある商品やサービスの見つけ方に触れるとともに、展開の仕方や具体的な商品化の方法について説明していこうと思います。

自分を知り、自分の強みを見つけられる「8ステップ」

ステップ1	自分を知る
ステップ2	抱えている課題を明らかにする
ステップ3	自分の強みを見出す
ステップ4	自分の目標と想いを描く
ステップ5	自分の居る場所を確認する
ステップ6	自分の行きたい場所を想定する
ステップ7	身の丈に合った考動を設計する
ステップ8	開発目標を設定する

進めていく段階としては、大きく８つのステップに分かれます。

ステップ１が「自分を知る」、ステップ２は「抱えている課題を明らかにする」、そしてステップ３で「自分の強みを見出す」、ステップ４「自分の目標と想いを描く」。その後はステップ５「自分の居る場所を確認する」、ステップ６「自分の行きたい場所を想定する」、ステップ７「身の丈に合った考動を設計する」、ステップ８が「開発目標を設定する」と進んでいきます。それぞれのステップでなにをしていくのか、解説していきましょう。

兵庫県神戸市の菓子工場の8ステップ

2015〜2016年の2年間にわたって、兵庫県神戸市の菓子工場、梅香堂と商品開発に取り組みました。それを「8ステップ」の事例として紹介していくことにします。

神戸市が地元の産業振興のために設けた勉強会「ものデザインコラボLAB（ラボ）」の講師として僕が招かれたときに、梅香堂の3代目である田中隆史さん（当時42歳）が参加していました。売り上げの大半を占めていた下請けの仕事が年々減少し、減る売り上げを自社販売商品でカバーしようと開発してみたものの、思うように売り先が広がらないという課題を抱えていました。

ステップ1

自分を知る

ステップ1は普段の仕事をバラバラに解体し、整理する作業です。【自分を知る5つのフェーズ】を用意しましたので、質問に答える形で自社の今の状況をまとめてみましょ

自分を知る5つのフェーズ

1. 自社の技術はなんですか?

2. その業界の昔から今までの流れはどんな感じでしょうか?

3. 現在のその技術業界の状況はどうなっていますか?

4. 予想されるその業界の今後はどんな感じでしょうか?

5. 自社分析

①売上分析（現在の状態）

- 会社全体の売り上げは？
- 自社商品の売り上げは？
- 他社請負商品売り上げは？
- その他は？
- 商品（サービス）数は？
- 商品（サービス）内容は？

②事業分析（自社の状況）

- 人材は？
- 仕事量と利益率は？
- 売り上げ上位の仕事は？
- 自社が選ばれる理由は？
- 反応がいい仕事先は？
- その主な仕事と取引内容は？
- 納品仕様は？
- その他の取引口座は？
- 社外の人間関係は？

5. 自社分析

③業界分析(周囲の状況)と競合分析(目指す方向)

1)同業種の競合する事業者やブランド、その理由(最低10個)

	同業種の競合	理　由
1		
2		
3		
4		
5		
6		
7		
8		
9		
10		

2)他業種の気になる事業者やブランド、その理由(最低10個)

	意識している他業種	理　由
1		
2		
3		
4		
5		
6		
7		
8		
9		
10		

5. 自社分析

④技術分析（商品・サービスはなにか）

- 得意な技術、技法、サービスは？

- 自社しか持たない技術・技法は？

- 所有している機械、設備、環境は？

- 所有している技術、特徴は？

- そこから生まれた仕事、形状を具体的に（箱？丸い？）？

- それらの最終使用先と使用商材は？

- 技術やサービスとしての強みと弱みは（普段の業務でできることを解体して確認してみる）？

- 素材や設備としての強みと弱みは（普段使用している素材をまとめる）？

- 社内外関係としての強みと弱みは（普段の仕事関係でのリスト・特化した付き合いなど）？

- 現時点でやりたいと思っている事業や挑戦したいこと、狙っている市場は？

う。日ごろやっている仕事をこうして言葉や数字で整理していくことで、客観的な視点から自分のできること、得意なことが見えてくると思います。

【1.自社の技術はなんですか?】では、なにができるのか、できるだけ具体的に書くようにしましょう。これまでいろいろな町工場を見てきましたが、自分たちの技術をしっかりと把握していないところが意外に多い。特に、完成品ではなく、部品などをつくっている場合はわかりにくかったりしますので、この際、自分たちの技術や設備から「自社でできること具体的なコトやモノのリスト」をつくってみるといいかもしれません。

【2.その業界の昔から今までの流れはどんな感じでしょうか?】で自分たちがいる業界を振り返り、【3.現在のその技術業界の状況はどうなっていますか?】で現在は逆風が吹いているのかなどを改めて確認する。そして【4.予測されるその業界の今後はどんな感じでしょうか?】でこの先の見通しを書いてみる。ここでも書くという作業によって、現状をしっかり認識することができます。

【5.自社分析】からは、いよいよ個別に見ていきます。

「①売上分析(現在の状態)」「②事業分析(自社の状況)」「③業界分析(周囲の状況)と競合分析(目指す方向)」④「技術分析(商品・サービスはなにか)」という観点から自

分の会社を細かく切っていきましょう。新たな発見や気づきがあるかもしれません。

中でも「②事業分析」からは、自分が持っている有形資産と無形資産を整理していきます。設備や道具、扱っている素材はまさに資産です。どんなものを持っているのか、普段は使っていないものまで一覧にするといいでしょう。まったく使っていない設備を有効活用するところから、新たな手が模索できたりします。素材でも加工可能な素材をリスト化することで、商品開発に臨むときに可能性が探れます。

「人材」では、社員であればその熟練度や経験年数を整理し、パートさんの面々も詳しく調べてみる。手が器用な縫子さんが多ければ、そうした細かな手作業を活用した新事業を展開できる可能性があります。

「納品仕様」はどんな形状の商品を納品しているのか、丸いものが多いのか箱形が多いのか、ここでもリスト化する。これはこの後の商品開発でどういう方向を目指すべきかの目安になってきます。

「その他の取引口座」では過去に一度でも取引があったところはすべて一覧にしてみる。新たに取引口座を開くのは大変な作業です。眠っている口座があるなら、そこを復活させ再生させることが営業する際の糸口になったりします。また、他社に比べて自社ならでははの強みを発見できるかもしれません。

「社外の人間関係」は仕事関係だけでなく、子どもの野球チームの監督をしているとか、釣りやゴルフの仲間がいるといった趣味関係も書き込むようにしましょう。こうした一見なんでもない情報が、無形の資産としてなにかを生み出すきっかけとなることもあるのです。

「③業界・競合分析」では、現在の事業における自分の会社と同設備や同業態、そして同形態の事業者をリストアップしていきます。自社とはかけはなれていても、理想形に近い会社や意識している業界や会社があれば、そこも書き出していく（できれば同じような規模の事業者で）。

「④技術分析」は、所有している機械・設備・環境から、自社の得意な技術をできるだけ細かく、そして具体的に書いてください。また、今できることやできないこと、今の設備や技術で生まれる具体的な形状や商材、普段同業他社よりも頼りにされている仕事内容、それに仕事関係でのリスト・特化した付き合いなども、個別に見ていきましょう。

さらに、現時点でやりたいと思っている事業や挑戦したいこと、狙っている市場なども書いてみてください。

せんべい屋からワッフルメーカーへの挑戦

では、梅香堂がステップ1で自社をどう分析したかを具体的に見ていくことにしましょう。

梅香堂は、神戸の菓子店に勤めていた田中さんの祖父が独立して昭和21（１９４６）年に創業しました。鉄板と鉄板で生地種をはさんで焼く「はさみ焼き」が本業で、瓦せんべいの製造から始まりました。家族経営のせんべい店が多い中で、昭和36（１９６１）年に法人化し、その後、はさみ焼きの製造技術を活かして、せんべい以外のワッフル系菓子（ハードワッフル）を開発。老舗菓子店のＯＥＭ（相手先ブランドによる生産）を主事業にしてきました。

田中さん自身はそうしたＯＥＭ偏重の事業内容には常々、危機感を抱いており、【自分を知る5つのフェーズ】では、せんべい屋の業態では今後の生き残りは難しいと分析しています。

実際、年々受注量が減少し、加えて主力の得意先から仕事が切られる危機にも直面。最盛期に1億円を超していた売り上げは、僕が相談に乗った時点では７０００万円台まで落ち込んでいました。

梅香堂　ヒアリングシート

1. 自社の技術はなんですか？

①はさみ焼きの技術が核にあります。

①-1　瓦せんべい、うすやきせんべい

もともとせんべい屋として始まっております。

①-2　クッキーワッフル

これもベルギーワッフルの一つ。バタークリスプタイプのクッキーワッフルです。
北フランスリール地方やベルギーの地方菓子の一つです。色々サンドしたり、そのままでも美味しいです。食感も配合も自由に変えられます。ベルジョワーズ（フランスの赤砂糖）とバターのクリームをサンドしたものもあります。

①-3　ベルギーワッフル

ふんわりしっとり。ワッフルといえばベルギーワッフル　リエージュタイプ。
当社のベルギーワッフルは添加物無しですが工夫を重ね材料の配合と製法を独自のものにしております。そのため冷めてもふんわり・しっとりとして大変好評を頂いております。

②小規模であること

②-1　小回りが効きます
ワッフル、ウエハース等を生産している他社様に比べまして規模は本当に小さいです。
ですがそれが強みだと思います。
それにより御客様の御要望にキメ細やかに対応できます。

②-2　多品種小ロット生産ができる
生産可能規模が大きくありません。
焼成機械の種切り替えも比較的簡単なので多品種小ロット生産が出来ます。

②-3　手が込んでいるものが作れる
副材料も自社で材料から作っています。例えば、キャラメルにしても材料から時間と手間を掛けて作っています。そうすることで味も違ってきますし、御客様の満足度も違ってくると思っています。

③今、当社は事業定義をせんべい屋ではなく「感動・喜び提案業」としており、この「コト」をお届けするサービス業と考えています。

2. その業界の昔から今までの流れはどんな感じでしょうか？

せんべいは奈良時代に中国から伝わり、意外と歴史も深いのですが、現代の生活者に合うべく変化しておらず、昔のお菓子という感じは拭いきれません。お菓子としての付加価値としては低くなっていると思います。

また、せんべい業界は廃業のラッシュが続いています。付加価値としての低下が主原因だと思いますが、それと、もともと個人経営のお店が多く跡継ぎがいないという原因もあると思われます。御客様にお届けする付加価値を変化させて受け入れてもらえないと、生き残りは難しいと思います。当社も、もともとせんべい屋として創業しておりますが、「せんべい屋」から「はさみ焼き屋」（＝製造業）に変わり、今は「感動・喜び提案業」（＝サービス業）と事業定義を変化させているつもりです。

3. 現在のその技術業界の状況はどうなってますか？

自社事業定義をせんべい屋としている所はどんどん廃業していっています。その一方ではさみ焼きの技術として見ると、ワッフル屋としては「[redacted]」「[redacted]」「[redacted]」「[redacted]」「[redacted]」等、ワッフルに特化して事業を発展させている会社もあります。また小規模ながらもベルギーワッフル、クリームサンドの生ワッフル、ストループワッフルに特化している業者も多々見受けられます。

4. 予測されるその業界の今後はどんな感じでしょうか？

事業定義を「せんべい屋」としている所で、家族経営的な所でも、立地が良いとかの好条件があれば昔の菓子的な戦略でも残って行けると思います。しかし縮小する市場に対しての変化は迫られるものと考えます。スタッフを雇用している所は、シェア1位は別にして5年以内に何かしらの変化を迫られるものと思います。

また、同じはさみ焼き技術を使う業界でも、ワッフル販売業の会社はまだ生き残って行ける可能性はあると思います。ですが少子高齢化で市場が縮小する中、それに伴う何かしらの対応変化は5年以内に迫られるものと思っています。

5. 自社分析

①売上分析（現在の状況）

- 会社全体の売り上げは？
  [redacted]

②事業分析（自社の状況）

- 従業員数、売上（自販、卸割合）、仕事量と利益率
  13人（うち、パート10人）

- 現在の得意販路はどこでしょうか？主な取引先と商品内容
  [redacted]

- 自分の仕事の反応が良い市場は？主な取引先と仕事内容
  他の菓子製造メーカー
  百貨店　スーパーマーケット

③業界分析（周囲の状況）と 競合分析（目指す方向）

1）同業種の競合する事業者やブランド、その理由（最低 10 個）

	同業種の競合	理　由
1	[redacted]	ライバルと勝手に思っている [redacted]の発展ぶりを見ると自分も発奮しようと思う 負けたくない小さな隠れ家的店舗から出発してすごく発展している 材料もこだわっているすごい
2	[redacted]	ワッフルを中心に商品展開していて 当社とやりたいことが似ていると思う
3	[redacted]	材料にこだわっている家族経営 子供にも食べさせられるお菓子 こういうお菓子を作りたい
4	[redacted]	ポテトチップが本当においしい 材料がシンプル。商品ができあがるそばからすぐ売り切れる もともと当社と同じ瓦せんべい屋さんだった 業態を変化させている成功例だと思う
7	[redacted]	地元で定番、長く愛されている商品 いい感じで雑、良い加減、良い塩梅 何か味がある手作り感がいい
8	[redacted]	材料にもこだわっている菓子屋さん ワッフルも作られている こういうお菓子を作りたい 自分もしたいアイスクリームもしている
9	[redacted]	自分がしたい事そのままだと思う 自社で耕した畑から採れた材料でお菓子を作る
10	[redacted]	世界でただ一人の[redacted] オンリーワン
11	[redacted]	関東のみですが[redacted]でシェアをのばしている 一つのカテゴリーでファーストコールカンパニーを目指している
25	[redacted]	ジャンドゥーヤが美味しい ジャンドゥーヤを使ったお菓子作りたい
26	[redacted]	ネットの売り方を熟知している 見ていて思わず買いたくなる
27	[redacted]	ベルギーのクッキーワッフル 味が美味しい シンプルだけど美味しい

2）他業種の気になる事業者やブランド、その理由（最低10個）

	意識している他業種	理　由
1	[redacted]	オンリーワン アイデアが凄い 大手に負けていない アイデアで使う人の身になって作っている ちょっとしたアイデアですごく差別化を図っている
2	[redacted]	オンリーワン 利益率がすごく高い 仕事が早い　仕組みが凄い
3	[redacted]	機能的美しさ 壊れにくい
4	[redacted]	自然栽培農家　本物　筋が通っている 私の農業の師匠
5	[redacted]	しっかりした作り 壊れにくい
22	[redacted]	規制と常に戦い知恵を絞って頑張っている姿勢が好き
23	[redacted]	ネジ関連専門の会社　　1個からでも買える 近くの会社はここでネジを揃えている ビジネスモデルの成功例だと思う

④技術分析（商品・サービスはなにか）

● 今後開発していきたい商品やジャンル
今あるものから新しい付加価値を作り出していける商品
御客様に感動して頂ける・喜んで頂けるサービス・コト
（例えば自分でおせんべいに焼印を押してもらい、そのお菓子を包装まで仕上げてお届けする）
ようなこと
アレルギーフリーの商品
完全無農薬無肥料の材料で出来たお菓子

● 今後トライしていきたいこと
ワッフルの店舗をしてみたい
自社店舗の自分での改装
商農工連携
農地を借り自分で材料を作る

● 今回の取り組みを通じて狙っていきたい市場
本当に良い物を選んでくれる人がいる市場
こだわったものを欲している御客様
アレルギーフリー商品の市場

ステップ2

抱えている課題を明らかにする

ステップ2では、今抱えている課題を整理します。倒産や廃業のピンチに至った原因や日頃から悩んでいること、なんとかしたいと思っている問題など、思いつくものをなるべくたくさん書いてみましょう。

梅香堂の場合は、売り上げの大半を占めていたOEMの仕事が減少したため、あるメーカーのOEMでつくっていた廃番商品とその製造機械を譲り受けて新たな自社販売商品「神戸ハードワッフル　フルーツの小箱」として開発し、営業活動をしていました。はさみ焼きの技術でつくった、フルーツをはさんだクッキーワッフルでお菓子として

神戸ハードワッフル　フルーツの小箱

今、どんなことに悩んでいますか？

●

●

●

●

はおいしいのですが、発売から2年たっても常設で扱っているお店は地元の百貨店1店舗だけ。本来はＯＥＭの減少分を補う収入源にならなければならないのに、思うように販売先が広がらず、売り上げも芳しくないという課題を抱えていました。

これまで請負仕事が中心でしたので、三代目社長の田中さん自身が営業に不慣れだったこともありますが、なによりも商品開発の時点で誰に向けてどのようにして売るべきかという整理と検証がなされていませんでした。これが原因で販売先が広がらずにいたのです。

また、商品の目指す方向性やイメージなどを外部のデザイナーに具体的に、そして明確に伝えられず、なんとなく依頼してデザインしてもらったパッケージを使っていました。

贈答用商品を狙っていたにもかかわらず、パッケージデザインはその意図に合わずギフト向きでない。さらに、見た目から商品のPRポイントが伝わりにくいところもありました。

商品自体としては味が3種類（オレンジ、リンゴ、キウイ）と少なかったため、売り場で面積が確保できにくい欠点もありました。

ステップ3

自分の強みを見出す

次はいよいよ、自分の強みをあぶり出していく作業です。ここでは、経営戦略策定方法でお馴染みの【SWOT分析】を使うことにします。

上段を【プラス要因】、下段を【マイナス要因】として、上段には組織や会社内の【強み（他社がまねできないこと）】＝Strengthsと、お客様・取引先・競争・社会での【機会（やりようによってチャンスとなること）】＝Opportunities。

SWOT分析

	組織や会社内	お客様・取引先・競争・社会
プラス要因	**強み**（他社がまねできないこと）	**機会**（やりようによってはチャンスになること）
マイナス要因	**弱み**（チャンスに備えて克服すべきこと）	**脅威**（どうしようもないけど適応すべきこと）

下段には、組織や会社内の【弱み（チャンスに備えて克服すべきこと）】＝Weaknessesと、お客様・取引先・競争・社会の【脅威（どうしようもないけど適応すべきこと）】＝Threatsを記入していきます。

ただし、僕らが商品開発などを進めていく場合、これを少し変形させて使います。特に重要視しているのが上段に書き込まれた【プラス要因】です。

下段の【弱み】と【脅威】はある意味、業界構造であったり、海外からの脅威だったりと、すぐに解決できないことが多い。解決できないだけに書けば書くほど暗い気分になるし、愚痴っぽくにも

サービスをお届けするという方針の下でのSWOT分析

			お客様・取引先・競争・社会
			機会（やりようによってはチャンスとなる）
23	[redacted]	1	甘味小麦粉せんべいは昔のお菓子 → 新たな価値軸
24	[redacted]	2	高価格と低価格の二極分化 → 上質というキーワードで高付加価値化
25	[redacted]	3	理念を徹底的に追求する → 他社が追いつくのを諦める位
26	[redacted]	4	仮設的ながらも店舗がある → もっと手を掛けてお洒落にする → 最低地元本に紹介されるまでには持っていく
27	[redacted]のOEMをしている	5	ギフト需要がある → 早急にギフトにも耐えうる仕様にする
28	寺社仏閣のオリジナルせんべいを作っている	6	自家需要がある
29	ベルギーワッフルとクッキータイプのワッフル両方作れる	7	内需としてまだまだ開拓出来る → 営業先として新業態を開発
30	ベビーカステラが手焼きで作れる → 新しい価値軸の導入を早急にする	8	輸出はこの10年内には必須事項 → 海外（ヨーロッパ、シンガポール、香港、ドバイ等）の富裕層にも通用するコンセプトとお洒落感に持っていく
31	瓦まんじゅうが手焼きで作れる → 新しい価値軸の導入を早急にする	9	[redacted]
32	一辺3センチの極小瓦せんべいの型がある	10	フランスのワッフル、ベルギーワッフルの影響を受けているのでフランスに輸出したい → フランス、ベルギー、の展示会に出店する
33	一辺40センチの極大瓦せんべいの型がある	11	洋菓子としてのはさみ焼き → まだまだ少ないので全面に打ち出す
34	神戸セレクション8・9・10受賞	12	まだまだ価値の再構築ができる。アーケードゲームのアルカノイドのような感じ。単なるブロック崩しからイノベーションを起こした → 新たな価値軸の導入を図りイノベーションを起こす
35	フルーツの輪切り、野菜の輪切りを入れたワッフルを作れる	13	
36	[redacted]	14	
37	スタッフは主婦がほとんどなので女性目線のものづくり	15	
38	相手の要望に答えられる体制をつくる	16	
39	副会長がデザインを50年前にしていた	17	
40	菓子に焼印が押せる	18	
41	テレビに出たことがある	19	
42	はさみ焼きは焼き時間が短いことが特徴。オーブン菓子に比べ香りや味が残りやすい	20	
43	震災復興の希望の灯り瓦せんべいを作っている	21	
44		22	

梅香堂　「上質」「本物」を求めるお客様に当社の商品・

		組織や会社内
		強み（他社がまねできないこと）
プラス要因	1	神戸に会社がある → 神戸を全面に打ち出し展開していく　ex商品名をKOBE○○○
	2	70年の歴史がある → 創業昭和21年と全面に押し出す
	3	スタッフとだんだん連携が取れてきていると思っている → もっと連携を取り効率的に生産し利益を残す
	4	手間の掛かる作業をする文化・社風がある → さらなる高付加価値商品にし他社が真似しようと思わないようなレベルにする
	5	新しいもの好き → もっと挑戦し失敗の中から光る物を見つける
	6	誰もしたことが無いことをしたがる → もっと挑戦し失敗の中から光る物を見つける
	7	全力での失敗なら良しとする文化 → もっと挑戦し失敗の中から光る物を見つける
	8	失敗は、出来ない方法が判っただけという認識 → もっと挑戦し失敗の中から光る物を見つける
	9	はさみ焼きの技術が凄いと勝手に思っている → 強みと認識しさらに伸ばす
	10	パートスタッフ中心←ある程度変動費として見れる ← 小ロットでも対応出来る → マニュアル化出来る所はマニュアル化しパートスタッフにもっと柔軟に対応出来る仕組みにする → 生産の効率化が出来る仕組み
	11	機械の生産能力が高くない小規模生産設備 ← 小ロット対応可能
	12	小ロット対応可能←焼成作業自体で手の込んだ作業ができる ← 大量生産機械では不可能 → 更なる高付加価値商品にし他社が真似しようと思わないようなレベルにする
	13	瓦せんべいの焼印を御客様に押してもらいオリジナルを作るというサービスをしたことがある → ものだけでなくサービスとういうコトを御客様に提供できる
	14	オリジナルをオーダーメイド出来る → 知らない人が多いので全面に押し出す
	15	社内の菓子の本の多さ → スタッフが自発的にそれらを読み研究する様な文化にする
	16	手焼きにも対応出来る → 小ロット対応可能　機械焼成よりも手間を掛けた菓子の開発と販売
	17	危機感が人よりあると勝手に思っている → イノベーションを起こす。経営センスを磨く。スキルを磨く
	18	キャラメルをスタッフが作れる → 他の菓子屋で一から作る所は少ないと思う
	19	巻ロールクッキー焼成機がある → なんとか新たな価値軸を取り込みたい
	20	クッキーワッフル焼成機がある → なんとか新たな価値軸を取り込みたい
	21	せんべい焼成機がある → なんとか新たな価値軸を取り込みたい
	22	社長にも意見出来る風通しの良さ → コミュニケーションを良くする

なりがちです。これから新たなチャレンジをしようとしているのに、気分が削がれてしまうのも「マイナス要因」ですので、あえて無視します。

【強み】と【機会】だけ書いた方が開発にも前向きになるし、守りよりも攻めの気持ちが強くなります。そこで、あえて下段は書かなくてもよしとしています。

その代わり、使えるか使えないかわからなくてもいいので、自社が持つ設備や技術、今の人材、使える素材、他社より得意と思っていること（思われていること）など、自社の中にあるあらゆる情報をすみずみまで確認し、それを上段にできる限り集めます。なるべくたくさんの要素を調べて書けるように、これまで行った自己分析から抽出していきましょう。

こうして強みが出そろったところで、各々の強みを活かせる「市場」を探していきます。

梅香堂の田中さんは下段を書かず、上段の【プラス要因】では40以上もの強みを書き出すなど、かなり細かく書いていました。しかも、挙がった要因に対して、それをどう活かすべきかの考動や目標まで書き加えています。こうすることで、今やらなければならないことがより明確になってきます。

変形【ＳＷＯＴ分析】で見出された梅香堂の強みは、

・はさみ焼きが得意であること
・小規模なので機敏に小回りができること
・大手がやらない細かく面倒なコトができ、他社より高付加価値なモノがつくれること
・体に安全な素材だけで生産できる意志と背景があること

自社が本来持っている技術が最大の武器になると確信を持てたようです。

そしてあらためて、目指す市場は「高付加価値なワッフルが有利に展開できるスイーツ市場」であることが明らかになりました。

ステップ４
自分の目標と想いを描く

自分の強みがわかると、まずはどの部分に集中して活かせばいいかわかりやすくなりま

自分の目標と想いをかいてみましょう!

●

●

●

●

梅香堂の目標と想い

● 自社のはさみ焼きの技術で、世界でも通用できる、日本を代表するはさみ焼きメーカーを目指します。

す。そこで、これから目指す市場でどんなことをやっていきたいのか、その意気込みや決意をあえて言葉にする「見える化」をしてみましょう。そうすることで、自分の目標や想いがより明確に、そして具体的になってきます。

ステップ5　自分の居る場所を確認する

自分の強みがわかった段階で、この強みを、目指す市場でどういった商品やサービスの開発に活かしていけるかを考えます。それには、これから目指す市場における自分の位置をつかむことが大切です。競合他社と特性を比較することで、現段階での「自分の居る場所」が見えてきます。

縦軸は特性の項目で、【事業内容】【イメージ】【得意技術】【商品特徴】【企画力】【品質】【デザイン】【営業力】【メイン顧客層】【用途】【価格】【顧客メリット】【楽しさ】【安心感】【手軽さ】などを設けています。

ただ、項目の内容や数は必要に応じて変えても構いません。ここはあくまでも、その業

競合D	競合E	競合F	競合G	競合H	競合I

自社と競合の特性リスト

	自　社	競合A	競合B	競合C	
事業内容					
イメージ					
得意技術					
商品特徴					
企画力					
品　質					
デザイン					
営業力					
メイン顧客層					
用　途					
価　格					
顧客メリット					
楽しさ					
安心感					
手軽さ					

競合の特性リスト」

4	5	19	20	21
[redacted]	[redacted]	[redacted]	[redacted]	[redacted]
洋菓子	洋菓子	洋菓子	洋菓子	洋菓子
ワッフル	ウエハース	生ケーキ	プリン	パイ
2	2	3	4	3
2	2	4	5	4
2	2	5	4	3
3	1	5	4	5
2	3	3	3	2
2	3	4	2	2
手作り	イタリアらしさ	かっこいい	広告の使い方	商品の見せ方
飽き…	ローカル老舗	単品	ごちゃごちゃ	ごろごろ
ヨーロッパ	イタリアの大雑把おじさん	ブランドになりつつある	上手くしている	売り場所を考えてるな
●●●●●●	●●●●●●	●●●●●●	●●●●●●	●●●●●●

梅香堂の「自社と

	1	2	3
	梅香堂	5年後の梅香堂	[redacted]
得意技術	はさみ焼き	はさみ焼き　パン	洋菓子
代表商品	ワッフル、 ワッフルクッキー	ワッフル、 ワッフルクッキー	ワッフル、 ワッフルクッキー
代表商品画像	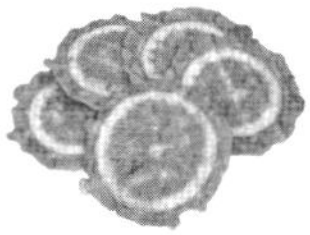		
商品力5段階	3	5	4
企画力5段階	2	4	4
デザイン力5段階	1	5	4
営業力5段階	2	3	3
味5段階	5	5	2
材料の安全さ5段階	4	5	2
強み	はさみ焼き力	ブランド化に 成功している	デザイン力
印象	お洒落感…皆無	素敵！！	味が…
想像すること 感じること	マイナー 将棋の歩	少しずつファンが 付いてくださる	都会、洗練、 悔しさ、焦り
イメージカラー	無し	●●●●●●	●●●●●●

界において、自社と他社の比較をして、自分の居る場所を確認することが目的です。

梅香堂は、【商品力】では他社に劣らないと判断していますが、【デザイン力】や【営業力】で劣っていることを自ら認めています。また、【イメージカラー】は「なし」と答えていて、自社の顔がしっかりデザインされていないことも認識していました。

こうした表にして他社と見比べることで、課題を解決していくために、なにが足りないのか、どういった考動をとるべきかが明らかになります。

ステップ6

自分の行きたい場所を想定する

ステップ5でつくった【自社と競合の特性ポイント】から業界のポジショニングマップをつくってみましょう。マトリクスの縦軸と横軸は各々の業界に合わせて決めてください。その上で、「自分の行きたい場所」を見つけていきます。

梅香堂では、マトリックスの縦軸が【お洒落】と【そうでもない】、横軸が【高付加価値】と【安い】としました。現在の自社商品では高付加価値でありながら、お洒落ではなかった。そこで、自分の「行きたい所」をお洒落の領域とし、ポジショニングマップ上に赤くマーキングしました。ここがいわば向かう方向だし、目的地となるわけです。

この他、横軸を【男性的】【女性的】としたものや、イメージカラーで縦軸を【明】【暗】、横軸を【寒色】【暖色】とした3種類のマトリックスを作成して、自分の「行きたい所」を明らかにしました。

このようにマップのシートは1種類だけでなく、比較しておきたい対象や気になっている事項ごとにつくってみることをお勧めします。軸の項目も【高い】【安い】といった要素だけではなく、切り口をできるだけ細かく設定しておくと、後々資料としてわかりやすくなると思います。

1人でつくるのは大変な場合もあるので、ほかの社員やパートさんなどを交えて意見交換をしながら、率直に気になっていることを出し合ってマップをつくるワークショップをするのもいいでしょう。資料づくりは難しく考えたり、悩んだりする必要はありません。

ポジショニングマップ

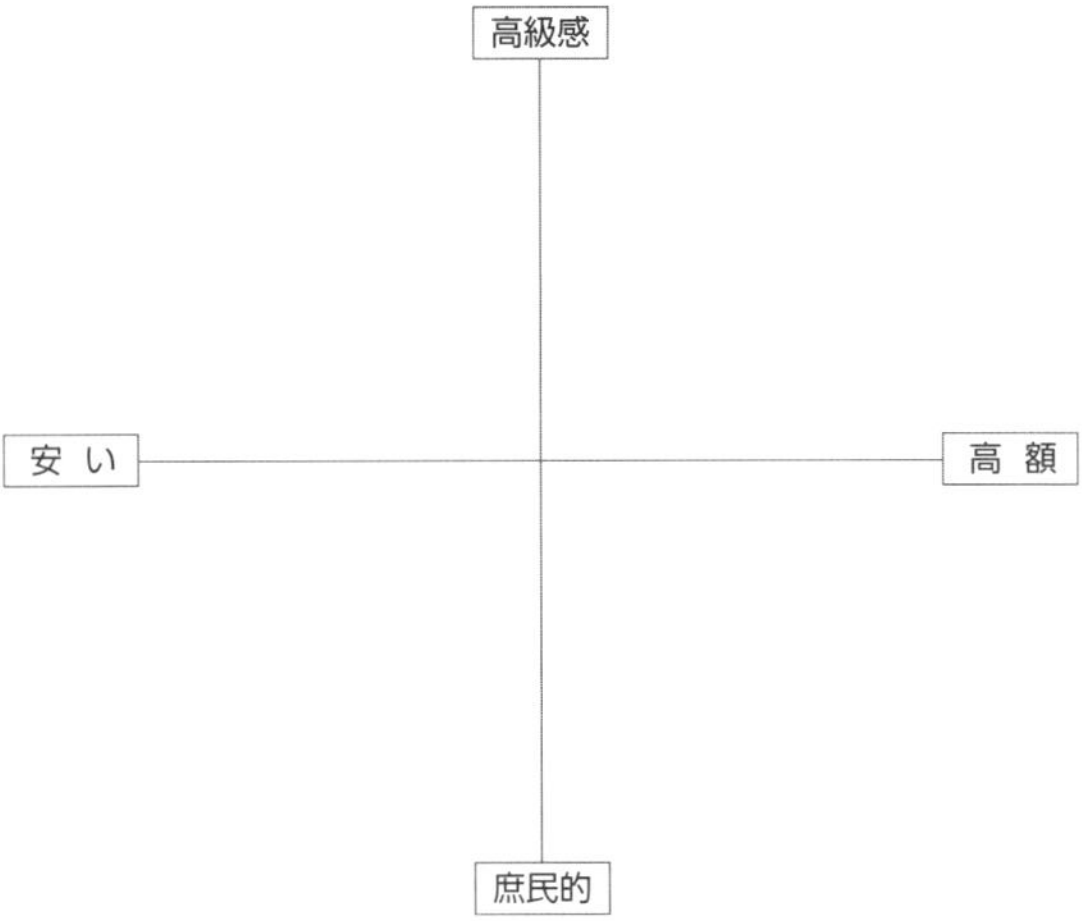

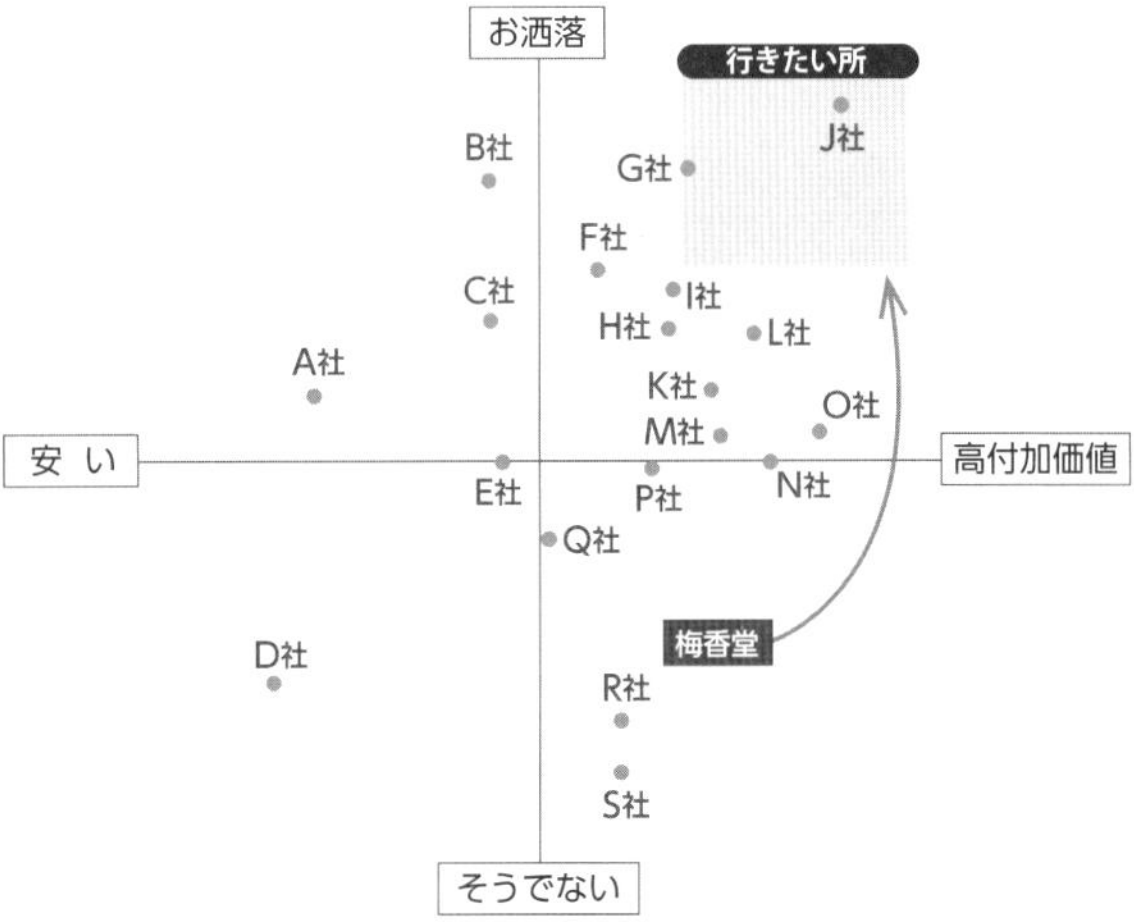

梅香堂の「ポジショニングマップ」①

ポジショニングマップ

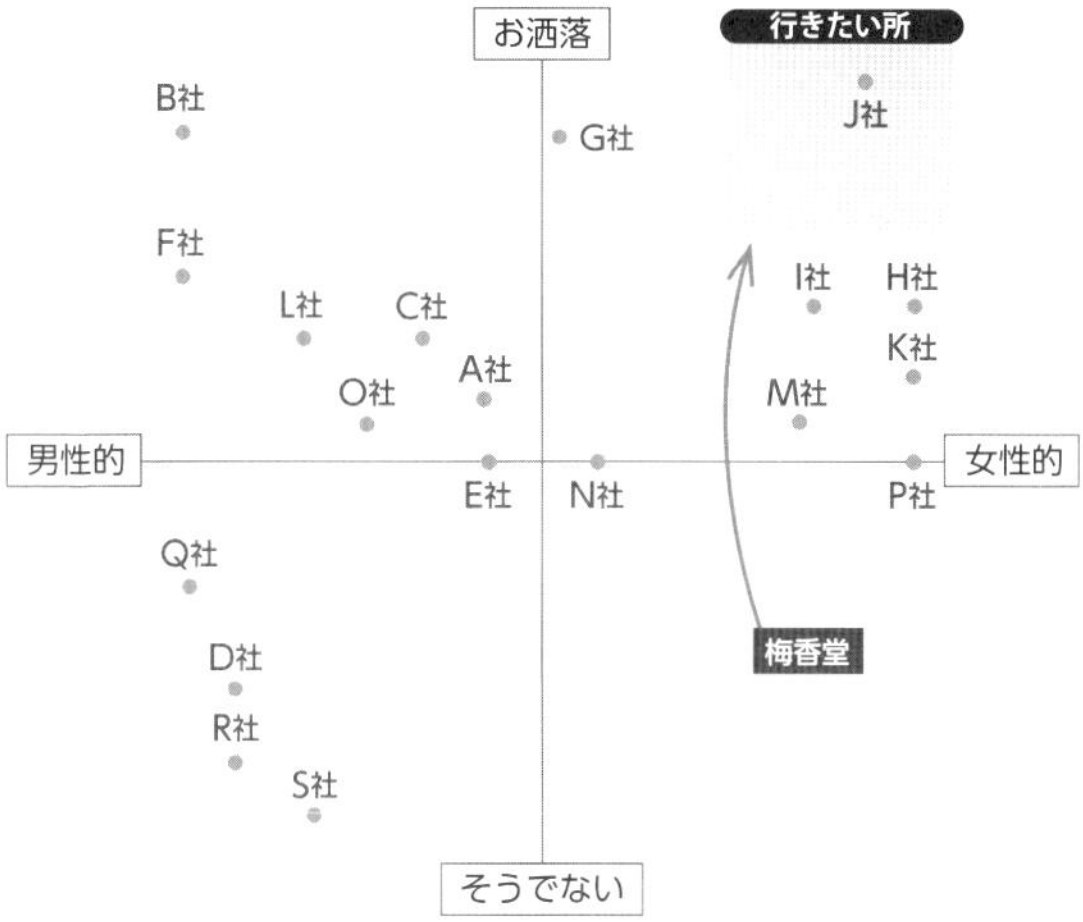

梅香堂の「ポジショニングマップ」②

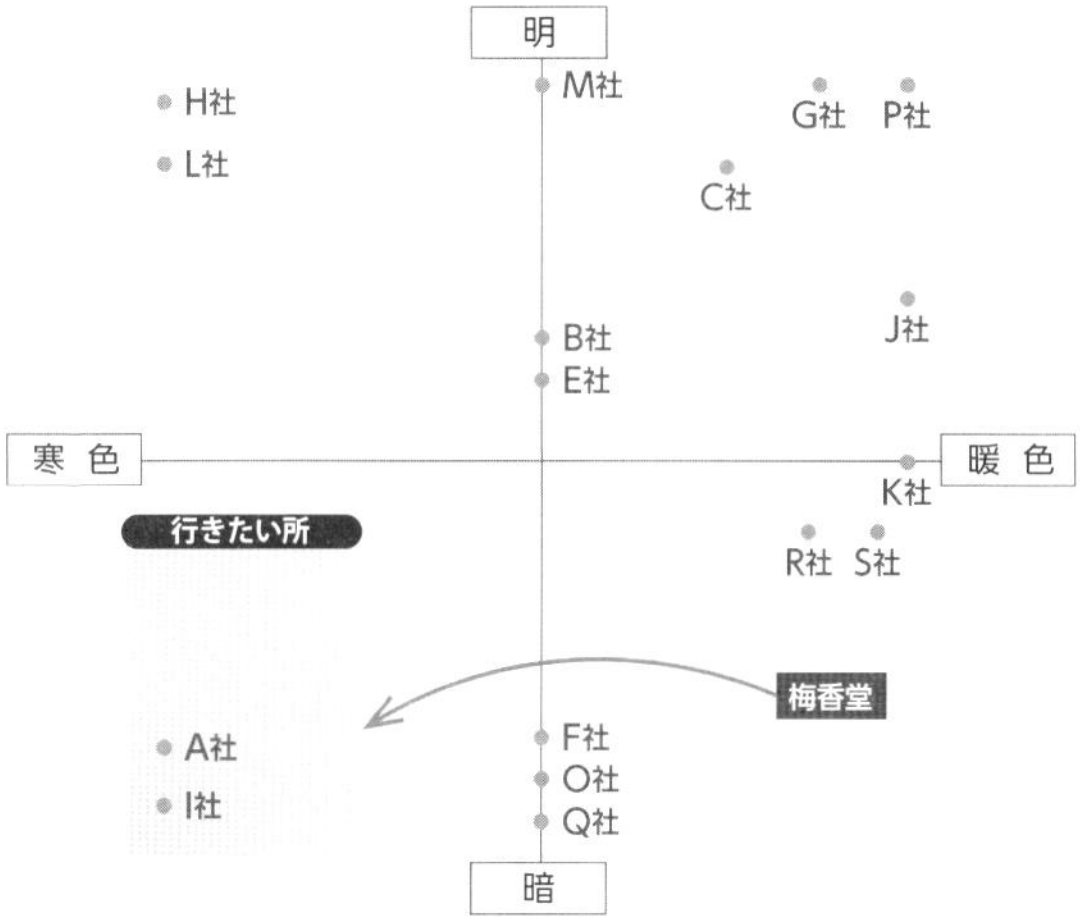

梅香堂の「ポジショニングマップ」③

ステップ7

身の丈に合った考動を設計する

行きたい場所の目的地が定まったら、まず、そのマークした場所付近に存在している他社の商品やサービスを列記して整理していきます。商品ならそこのラインアップを確認します。そこから、行きたい先の事業者が商品・サービス開発で【やっていることリスト】が作成できます。また、そのリストから同時に、行きたい先のみんなが【やっていないことリスト】が浮き上がってきます。

この2つのリストから、今度は自分たちが「やらないといけないこと」と「やらないほうがいいこと」がわかります。そこから「自社がやっていて（これからやって）、他社がやっていないこと」が見えてくるわけです。

実は、この領域に、自社が開発しようとする新たな商品の「強み」になる要素を発見できる可能性があるので、入念にチェックしておいてください（やってはいけない危険領域の可能性もありますので慎重に検証を）。また、今後の考動を設計する際の材料となります。

やっていること&やっていないことリスト

● やっていること	● やっていないこと
●	●
●	●
●	●
●	●

梅香堂の場合は、クッキーワッフル対応の商品は他社でも製造されていましたが、調べてみると、自社商品の「はさみ焼きの技術でつくったフルーツをはさんだクッキーワッフル」はどこもやっていないものでした。

ただ、課題はそうした特徴がパッケージや売り方できちんと伝わっていなかったことです。加えて、自分たちが行きたい場所にふさわしい高付加価値性と、買ってもらいたいと思う人たちに届く世界感に仕上げていくことでした。

そうはいっても、身の丈を越えてしまうと負荷がかかって、思い切りジャンプをしたものの目的地に到達できなかったり、着地に失敗して大けがをしたりします。あくまでも身の丈に合った考動を心掛けるべきだと考えます。

梅香堂の田中さんは、
「『上質』『感動』を感じられるはさみ焼きブランドを目指したい」
と今後の考動の設計書を作成しました。

ステップ8

開発目標を設定する

自分の強みを発見し、目指す市場で行きたい場所も想定できました。

次は、商品開発の場合だと「誰」が買う商品なのか、購買者のタイプを設定していく作業が必要になります。ターゲットとする購買層が普段どんな暮らしをしているのか、どのようなことを求めているか。

田中さんの場合は、意識している都内のスイーツブランドやメゾンブランドのカフェを自身で訪れてリサーチし（中には女性しか来店客がいないようなお店もありました）、目指していきたい世界感を膨らませていきました。

ターゲットとする購買者がどんなお店の、どこの売り場に来るのかといったイメージ

ターゲットユーザーのイメージについて教えてください

目指す売り場によってデザイン・価格も異なります

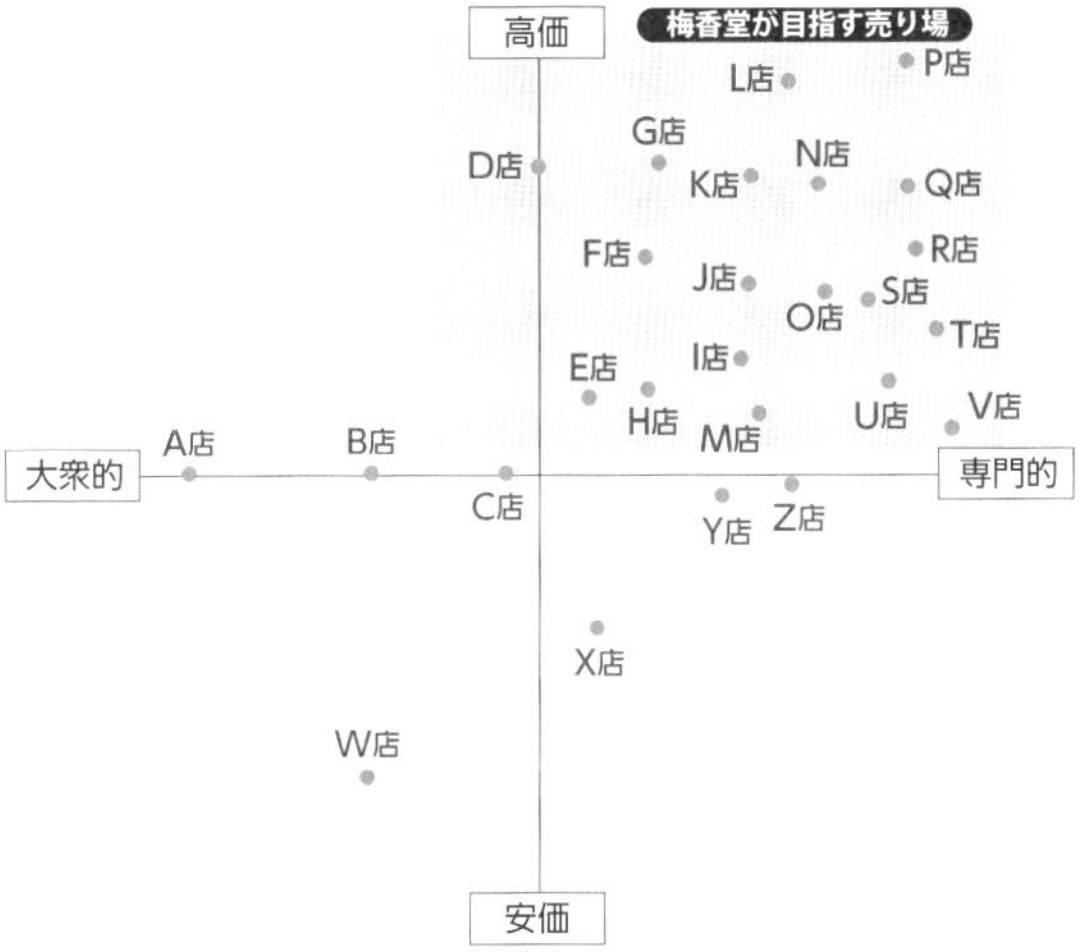

（トーン＆マナー）を自分の中でできるだけ言語化し、ビジュアル材料なども集めて具体的に設定していきました。

1年間で現状の分析と課題抽出ができた梅香堂とは、2年目にいよいよ次のステップに進みました。

自分たちが行きたい場所にいる購買層を、世代的には若年層から高年層までと幅広くとりながら、「デザイン感度は高く、食の安全意識が高い層」と設定しました。そして、そういうターゲットがよく来店するお店としては「高感度なライフスタイルショップ」などがリストに挙がりました。

味方を増やすための資料が出来上がる

ステップ8までで、自分を知ることから始まって、強みを見つけ、それを活かした考動の手が探せることになります。これ以降は、例えば商品開発をする場合は、外部のデザイン会社やデザイナーなどと商品のパッケージを考えたり、ロゴマークをつくったりといった商品化を進めていくことになります。

その際、ステップ8までの資料をあらかじめつくっておくと、自分がやりたいことや、頭の中で描いている商品イメージなどをしっかりと相手に伝えられます。まさに、心強いプレゼン資料になってくれます。

こうした資料なしにデザイナーなどに商品のデザインを依頼すると、往々にして以前の梅香堂のように的はずれのデザインになりがちです。それは互いになにも見えない暗闇でキャッチボールをしているようなもの。相手の投げた球がグローブに入ることはまさに奇跡に近いのです。

その点、こうした資料があればこちらの狙いや考動をわかってもらいやすい。早い段階から、開発商品に対して同じ空気感と世界感を共有できるので、デザインが大きくブレる心配はありません。その後の仕事もスムーズに運ぶことでしょう。

実際、他産地の事業者でこうした資料を製作した結果、「いつもやり直しが多かった印刷会社から、初回でとても良いパッケージが仕上がってきました」という報告を聞いています。

また、商品開発だけでなく、行政への補助金申請や金融機関への融資相談の際にもこの資料は威力を発揮します。なにしろ自分のこと、自分の会社のことがこと細かにまとまっていて、ひと目でわかる。これほどの資料はありません。申請用にわざわざつくらずとも、そのまま活用することができます。

ある意味、こうした資料づくりは自分の味方を増やすための「ひとつの手」と言ってもいいでしょう。

本来持っていたポテンシャルを デザインが引き出した

梅香堂とはその後、商品のブランド名の決定から、それに合わせたロゴデザイン、そしてパッケージデザインの製作と商品化を進めていきました。僕らから3案を出し、その中から決定した商品名が「KOBE　Fruwa（コウベフルワ）」です。

名前には商品の大きな特徴である「フルーツをはさんだクッキーワッフル」であることを伝えるとともに、神戸生まれである点も盛り込みました。また、パッケージの箱と中袋にはフルーツの断面のイラストを配しました。

商品の製法は「他社がやっていないこと」だったのですが、さらに美味しくなるようにと工夫を重

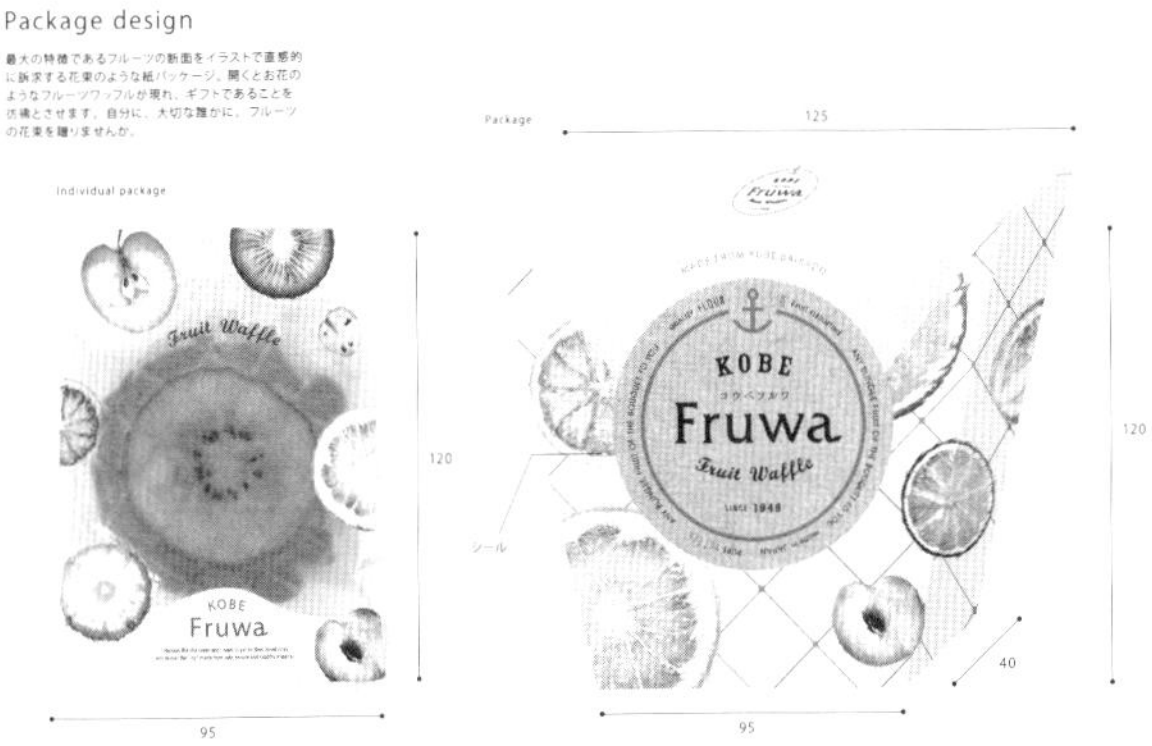

「KOBE Fruwa」のロゴマークとパッケージ

ね、味の設計を変更できないかを話し合いました。既存の3種類のままだと売り場のスペースを取りにくかったため、ほかに加工可能なフルーツがないか試行錯誤し、さらに2種類のフルーツを追加して全5種類としました。

また、これを機に流通のアプローチも変えることにしました。商品が良くても、それを多くの人が知ってくれなければ意味がありません。田中さん自身はこれまで地元の商工会議所主催の合同展に出たことはありましたが、全国の小売店のバイヤーが集まる大規模な見本市の存在を知りませんでした。

また、食品専門の展示スペースを事前リサーチしていたのですが、今回はあえてデザイン性に特化した雑貨なども出展しているコーナーで再デビューさせた方がよいのではないかと検討しました。

そこで2017年2月に都内で開かれるギフトショーでお披露目をすることを持ちかけました。それに向けて僕たちはカタログの製作、展示会ブースのデザインと製作に取りかかりました。

こうして迎えたギフトショー。展示会3日間で田中さんは400社もの人たちと名刺交換をし、うち20社との取引が決まったのです。

「都内の高感度なライフスタイルショップに商品を並べたい」

2年間で地元の百貨店1店しか売り先がなかった商品が見事、「自分の行きたい場所」に次々に導入されたわけです。

フルワを知ってもらったことで、都内の人気店から新たなOEMの仕事も依頼され、さらに見た目がキャッチーな商品はSNSでも取り上げられるなど大きな話題を集めました。最近では自ら望んでいた某メゾンブランドからも別注依頼が来たそうです。まさに、梅香堂のビジネスの景色を大きく変えることになったといえるでしょう。

お菓子としては他社がやっていない

ギフトショーに出展したブース

し、味も美味しい。商品としては高いポテンシャルを持っていたにもかかわらず、十分に魅力を発揮できていなかった。自分を知り、自分の強みを見つけたことで手に入れたデザインが商品の本来の力を引き出したのです。

第4章

下請けの小さな町工場や職人が未来を切り拓くには？

放ったらかしの課題が日本全国に山積している

これまで、あちこちの町工場や職人の人たちと出会って、実に多様な悩みを聞いてきました。各地域の行政とも多く関わり、それぞれ抱える課題を解決するために一緒に商品開発なども行ってきました。一つひとつの取り組みはそれなりの成果を上げてきたと思うのですが、その都度、各業界に横たわる大きな課題にもぶち当たってきました。

「みんなが困っているのに、なぜこの課題が放ったらかしなんやろう？」

「こんなひどい商習慣なのに、誰もなにも言わんのはなんでや？」

「昔から組合があるのに、なぜこんなことが決めていけへんのか？」

「バラバラの時期に各々が展示会しても、集客につながらへんのでは？」

これまであまり気にならなかった、あるいは仕方がないと思っていたことも、町工場や職人のみなさんと出会う機会が増えるたびに、無性に気になり始めたのです。そして、デザインだけで解決できないことが多いこともわかってきました。

「待てよ。このままやっていっても、難しいのちゃうかな？」

そう感じることが増えています。

下請けの町工場や職人の多くが後継者不足に悩み、そのうえ、倒産や廃業のピンチを迎えているところも現れている。背景には、そうした業界に手づかずに残ったままの課題も大きな引き金となっているように思われますが、残念ながら、それを解決しようという動きはあまり見られないのが現状です。

地方では行政も頑張って動いてはいるものの、抜本的な解決までは至っていません。

「長い歴史で代々、こうしてきました」

「ウチらに、そこまでの仕事をやる義務や責任はありませんよ」

「この業界では、これが当たり前ですから仕方ないんです」

そうした空気や慣習が業界の構造を変えていくことを遅らせている。そんな場面によく出くわします。

下請けのみなさんはおかしいと思いながらも、業界の商慣習や暗黙な掟に従わざるを得ない。声も上げることなく、黙々と仕事をしています。恐ろしい条件下で仕事を続けている職人もいます。

でも、外野にいる僕からすると、この状況は明らかにおかしい。こうした課題を一つひとつ解決していかないと、僕らが町工場や職人のみなさんとやっている「みんなの地域産業協業活動」はその場しのぎに過ぎない気がしています。

心臓のバイパス手術と同じで、本来は心臓そのものを治療しなければならないのに、根治治療をしないままの単なる延命処置では、いつなんどき重体に戻るかもしれないし、ひょっとすると死に至ることだってあります。

それこそ、町工場や職人の未来はないのではないでしょうか。

型屋の仕事の報酬をロイヤリティ制にしたら、どないなる?

例えば、第1章で登場した陶磁器原型職人の吉橋賢一さんは、型屋の仕事がなくて自販商品を開発しました。それは高い技術を持つ彼の存在が知られていなかっただけで、手編みセーターの網目を思わせる凹凸のある器を発表したことで、彼のもとには型屋の仕事が殺到しました。でも、彼は型屋の仕事は断り、食器メーカーの道を歩もうとしています。「型屋は、仕事を依頼してくる窯元の浮沈に振り回される。それより、自分で開拓していける方を選んだ」

彼はこう話します。

それは一理あるでしょうが、僕からするととてももったいないと思います。というのも、食器メーカーはすでに世の中にたくさんあります。対して、細かな手彫りができる型屋は彼しかいない。一番の強みでありオンリーワンでもあるのに、それをやめようとしていることが残念で仕方ありません。

3Dプリンターの登場で誰でも型がつくれるようになったので、もう型屋は必要なくなると思っているところもあるようですが、型屋の仕事の根っこに潜む問題点や業界構造も、彼を型屋から遠ざけようとしているという気がします。

ひとつは工賃の安さです。

戦後のころからほとんど変わっていないというからひどい話です。陶磁器市場が年々縮小しているなかで、商品の価格を左右する工賃を窯元や問屋がなかなか上げられないというのはわかりますが、ただ放置したままというのはいかがなものでしょう。

職人自身もいけない。高齢となって年金をもらうようになると、自分の工賃を下げてまで受注する職人さんもいるようです。当然、窯元は熟練していて、しかも安いなら高齢の職人の方に仕事を振るわけで、次の世代の職人にとってはたまったものではありません。仕事を取るには、安い工賃をさらに下げざるを得なくなってくる。もう悪循環です。

吉橋さん自身はこのままではいけないと、自ら工賃を上げて仕事を請けているようです。それでもやってほしいという仕事が絶えなかったようなので、職人の技量や力量次第で金額は交渉していけそうですが、彼は請けられるキャパシティを超えてしまって仕事を断るはめになったようです。

いずれにしても、このままだと型屋は仕事として成立しなくなるし、なり手もいなくなる。実際、愛知県瀬戸市の瀬戸焼の産地で、型屋というと50代で6人ほど、40代以下となると吉橋さんを含めて5人ぐらいしかいないと聞きます。60代と70代が中心で、そのほとんどで後継者がいないというから、あと10年もたてば型屋はまったくいなくなることもあり得るのです。

であるなら、報酬を見直してみる。

型は基本的に買い取りですが、その型でつくった商品が売れたなら、その売り上げの

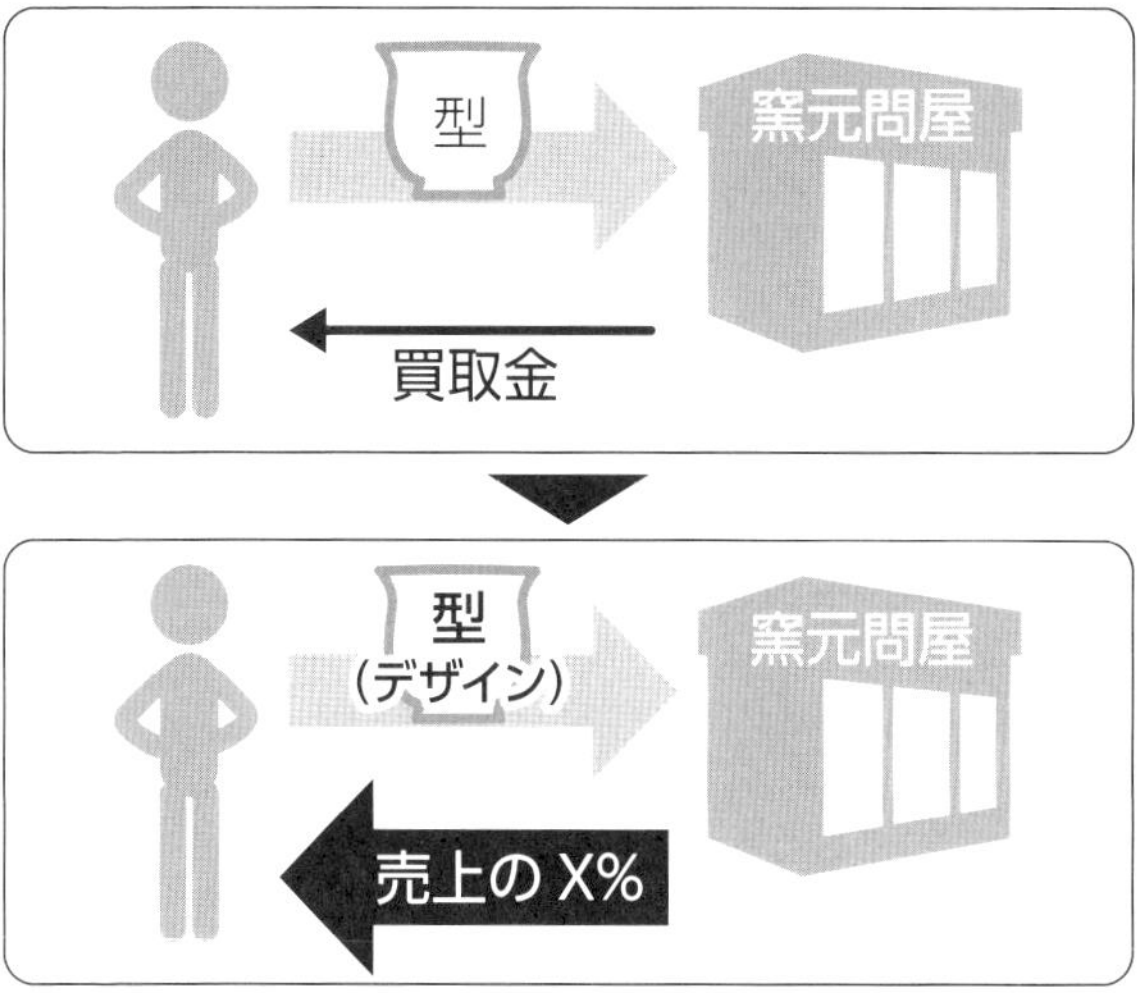

買い取りだった型をデザイン的な扱いにしてロイヤリティ制に変える

数%がもらえるようにするといった、いわゆるロイヤリティ制に変更してみたらどうでしょう。職人にとっては継続的に得られる収入源となるし、メーカーにとってもプラスに働く。型の初期費用がかかるため、新作をつくらなくなるメーカーが多いのですが、報酬をロイヤリティ制に切り替えれば初期投資が抑えられます。新商品がもっと生まれやすい環境になるのではないでしょうか。

「そんなこと、この業界はやったことがない」

すぐに、そんな茶々は入りますが、現状が課題を抱えているなら変えていくしかありません。僕らのような業界外で、売る側の仕事もしている人間が言えば、問屋や窯元サイドも考え方を変える可能性はあります。リスクをシェアできる仕組みで、それぞれが得意なところを伸ばせるのなら、ウィン・ウィンとなるでしょう。

組合で後進を育てる仕組みづくりもある

もうひとつは育成の仕組みです。

吉橋さんのような細かな原型をつくる型屋の仕事を教える学校は、現状ではありません。基本的には親が子に伝えるか、工房で修業して学ぶしかないということです。しかも、一人前になるまでに最低でも10年は要し、その間は昼も夜も、土日の休みもないような仕事だけの日々が続くようです。

吉橋さんの工房ではお父さんが亡くなり、型をつくれるのは吉橋さん一人。テレビ番組『ガイアの夜明け』で取り上げられたことで（吉橋さんがつくった商品が東京・青山のお店に並ぶ模様などが放送されました）、何人か工房に入ってきたのですが、誰もが1年で辞めてしまったそうです。

「職人とはモノづくりに携われ、さぞかし創造的で、周囲からも注目を浴びる華やかな仕事と思いきや、単純な仕事の繰り返しだし地味だし、仕事量も半端ないし……」

こんなところが辞める理由ではないでしょうか。

でも、そんな過酷な労働環境も、きっと見直せるところがあるだろうし、育成も個人個人で難しいなら、ギルド的な組合をつくってそこで各工房の親方たちが後進を教えていくような仕組みを建て付けてみる。ベテランの職人の技術をオープンにしていくことで、より早く習得できる状況をつくっていけば、後進育成の課題も見直せるのではないかと思います。

あと、残念なのは、吉橋さん自身が自分の仕事をクリエイティブなものと捉えていないことです。僕から見れば十分過ぎるほどクリエイティブなのに、もったいないと思います。そうした仕事の感覚値だけでも後進に伝えていけると、厳しい生活でも耐えられるモチベーションになったりするのではないでしょうか。

「地味でつまらない」だけではなかなか人はついてきません（もっとも、どの仕事も地味で大変ですが）。型屋職人の今後に向けた、このあたりの意識改革も課題のような気がしています。

技術だけ学んでも、商売を知らなければ食べていけない

同じく第1章で紹介した竹工芸職人の小倉智恵美さんと一緒に商品開発をして以来、京都を中心に伝統工芸の世界に触れることが多くなっていますが、工芸もつくづく課題だらけだと感じています。

なにより、技術の習得と、その技術で食べていくことがつながっていない。

小倉さんは伝統工芸を学べる京都伝統工芸大学校に入り、竹工芸の技術を学びましたが、その技術を活かして食べていく方法までは教えてもらえませんでした。結局、「生活を安定させる」フェーズからは抜け出せず、京都府が2012年に立ち上げた「京都職人工房」に30歳になって入り直したのです。

でも、最初の学校で、生計を立てていくにはどうしたらいいのかといった、生活するう

えで必要な情報を教えていれば、学校に2度も入り直さなくて済んだわけです。

しかしながら、技術だけ習い、それを会得した後いきなり世の中に放り出される職人の卵たちが後を断たないのが現状です。町工場と同じで、技術だけ知っていても、その技術を活かす方法を知らなければ、食べてはいけないわけで、こうしたことが伝統工芸の後継者不足にますます拍車を掛けています。

「学校は純粋に美術や芸術、そして伝統を学ぶところ。作品をつくるうえで、『売れる』という視点は必要かもしれないが、現状のカリキュラムでは不要」

たった数年で工芸の技術を教えるのだから時間が足りない、ほかのことを教える余裕がない、という事情も学校や先生サイドにはあるのでしょう。このあたりはほかの美大なども状況は同じかもしれません。

そうした学校では、僕のような人間は純粋な芸術活動を汚す、まさにヒール（悪役）なんでしょうが、ヒールとわかっていても、そろそろ次世代の職人のために暴れなければいけないのではないかと思っています。

学校では教えなければならない技術がたくさんあって、マネジメント的な授業を入れる隙間がないのかもしれませんが、そのままではなんの解決にもなりません、ぜひとも、技

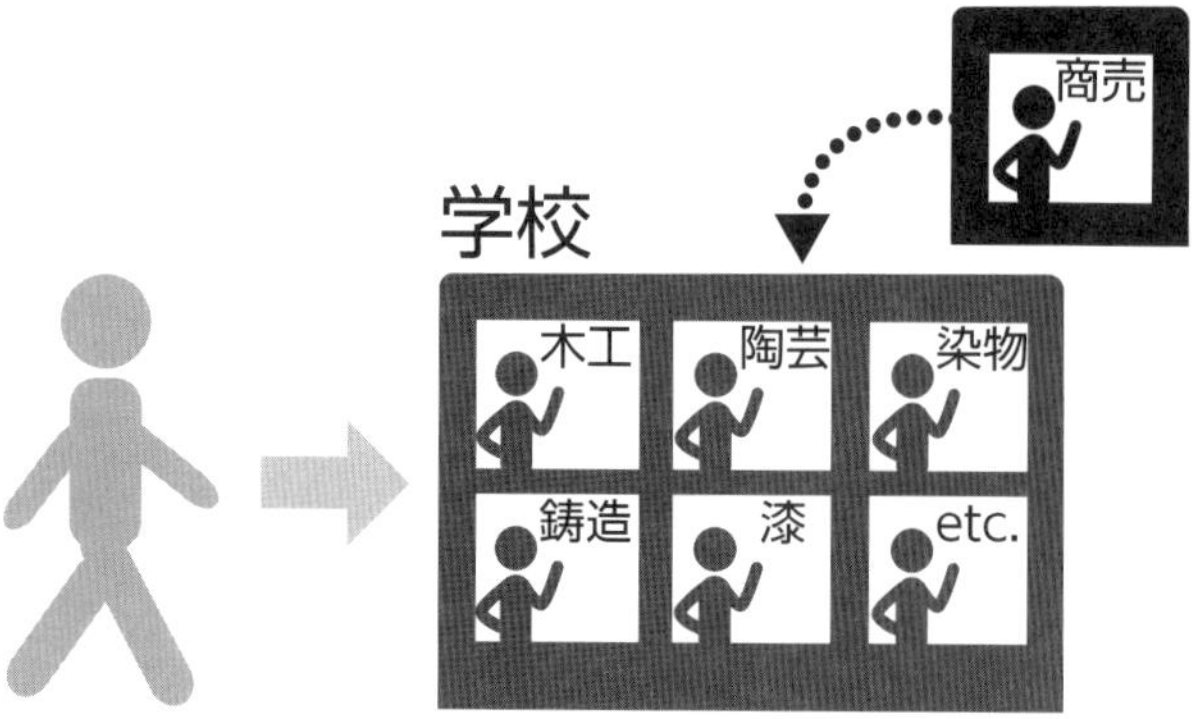

学校は技術だけでなく、商売を教える授業も行ってみる

術だけでなく、生計を立てていくための「商売を学べる」カリキュラムを用意してほしいと強く思います。

師匠について修業する場合、業界のことを学べる機会は学校よりは多いでしょうが、独立するときは師匠の仕事は取れないわけで、自分で仕事も販路も開拓しないといけない。このあたりも、僕らのような人間がサポートしていける仕組みをつくっていけないものかと考えています。

幸い、京都ではそうした職人たちを救済しようと、行政が京都職人工房のような取り組みを立ち上げています。全国の自治体でも地元の産地のために同様な動きがちらほら見られます。とにかく早く考動しないといけません。今や職人の8割は60歳以上といわれていますので、このままでは伝統工芸品は美術館や博物館でしか観ることができない希少品となって、普通に手に取って買うことはできなくなってしまいます。

また、国の支援がこれまでと同じようにあるわけでもないので、早く課題解決に向けて動く必要があります。町工場でも8割で後継者がいない状況だと聞いていますので、モノづくりの現場全体に解決していかなければならない課題が山積しています。

新作をつくると、旧作の納期が遅れるジレンマ

生産体制にも課題があります。

小倉さんは材料づくりから竹を編んで完成品にするまで、すべてを自分1人で手掛けています。しかも、作業が細かく、僕と一緒に開発したバングルは1個つくるのに4日かかります。要は、量がつくれないわけです。

そして新作が増えると、これまでつくっていた旧作の納期が遅れていくのです。3カ月の納期が半年になり、10カ月になっていく。しかも、商品が売れることでファンが増え、期待され、オーダーが増える。また夜な夜な作業する……。このまま1人でやっていく

と、睡眠時間がなくなり、体を壊す羽目になりかねません。頑張り屋の彼女だけに心配です。

せっかく「生活を安定させる」フェーズから上がろうとしているのに、体を壊してしまうと、また元に戻ることになってしまいます。

ある程度、人に任せられるところは任せてもいいように思いますが、高い技術レベルも求められるし、なによりも彼女の作家性が邪魔してしまうのでしょう。結局、すべてを自分や身内でやることになり、成長していけるタイミングがない。傍から見ているとなんとも悩ましいところです。

こうした状況はほかの職人と話していてもよく聞きます。現場での生産量を増やすには先人たちがしてきたように「働き手を増やす」しかないのですが、定期的な収入が見込めない状況のうえ、最近のような人手不足では雇用するのも難しい。ほとんどが家族経営などの身内での経営になっています。雇われている職人の労働環境にしても、一般企業のそれとは程遠い厳しい状況です。

定量を定期間に売っていくというビジネスを展開していくには、職人が次なるステージに移らないと難しいと思っています。次なるステージとは、例えば伝統工芸の学校の生徒をインターンとして、小倉さんのような職人のもとで研修させる。生徒は技術を磨くことができるし、小倉さんにとってもつくり手がそのときだけ増える。互いにとってメリットがあります。

もしくは、業界で比較的規模の大きい事業者同士で技術や職種を超えた「職人ユニオン」のような組織をつくる。そこに工芸職人たちに登録してもらい、短期間の仕事へ派遣できるような仕組みをつくることも考えられます。個人事業としての工房などは１人で営んでいるか家族経営が多いので常時雇用は難しいけれど、繁忙期だけでも手伝ってもらえる若手の職人がいると助かるのではないでしょうか。

「外の人間には仕事の現場は見せられない」

企業秘密もあるかもしれませんが、今はそんなことを言っている状況ではないという気がします。これから先を考えると、クラウドサービスではないですが、お互いで支え合う環境をつくっていくことで、技術を研鑽し、知識を共有する手もあるように思えます。

竹工芸では、小倉さんが手がける竹籠を編む編組（へんそ）のほかに、丸竹（まるたけ）加工という寺の竹垣をつくる技術があります。この丸竹には複数の職人を抱えた中規模な会社があるのですが、繁忙期以外は抱えている職人の仕事を確保していかなければな

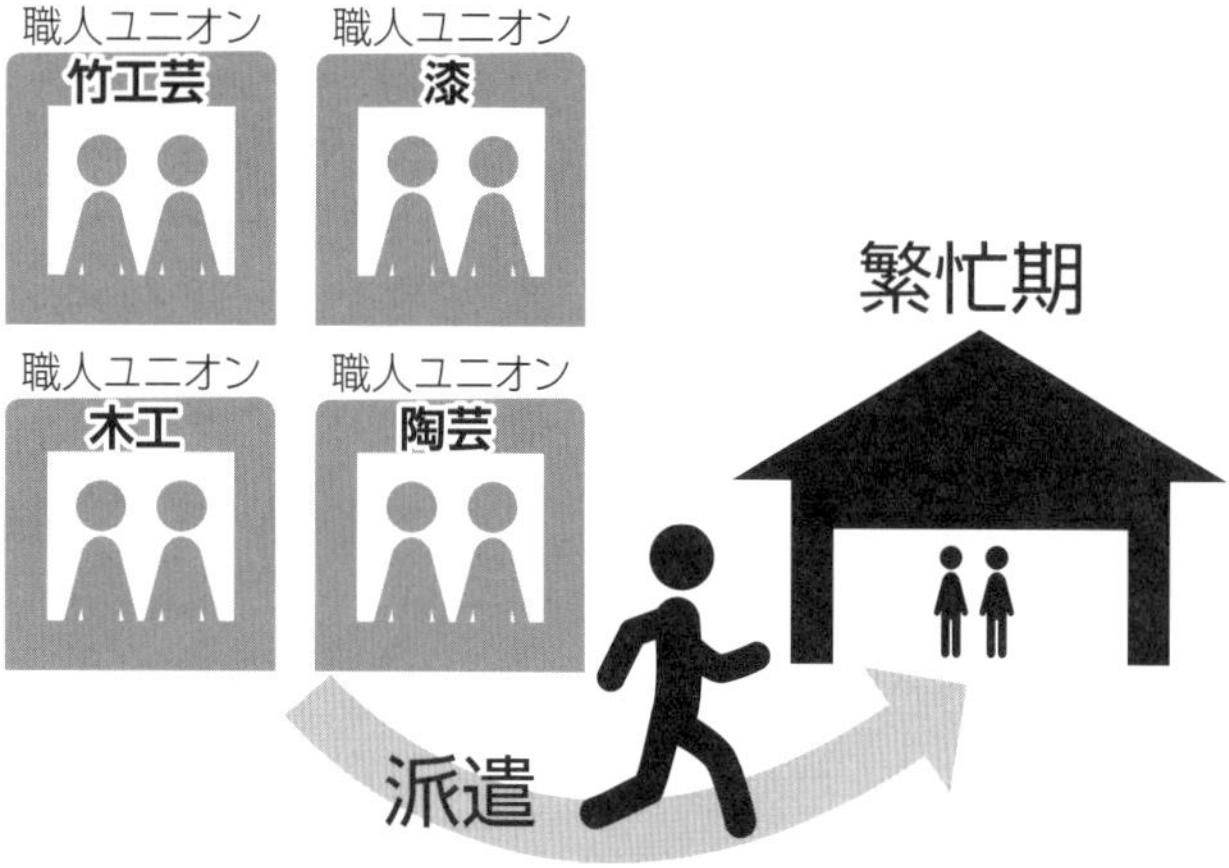

工房が繁忙期の際は職人ユニオンから職人を派遣する

らない。だけど、新たな仕事を生むための商品企画が案外弱かったりします。そこへ外部の若い女性職人のアイデアを持ち込んで強化したいと思っているところもあります。

そうした会社が小倉さんのようなつくり手とつながる。そんな手もある。小倉さんが企画を担当し、定量の生産化をそういった会社が担当するなど、互いの能力をシェアすることで経済力を互いにアップしていける。まさに前向きな分業です。

デザイナーが町工場と商品開発に取り組んでいるように、工芸の世界でもそうした取り組みは十分可能だと思います。

つくり手と買い手をつなぐ新たな役割が待望されている

つくり手からはあまりよく思われていない業種、それが問屋です。各地の産地を訪れると、かつては町工場や職人をとりまとめて市場との架け橋になっていたことを知らされますが、今はどこの問屋も十分に機能しておらず、弱っています。

どのジャンルでも海外から安価な商品が日本に入ってきて市場を席巻するなか、問屋は価格以外で打ち出す手がなく、市場動向をキャッチして町工場や職人に情報を伝え、売れる商品をつくるといった本来の機能を失いつつあります。

各地で商売をつくってきたはずなのに、その商売が壊れる一端も担ってしまい、ただただ逆風のなか、存在感をなくしているように感じます。

産地ではある一定の分野に特化している専門的な問屋が多いので、商流も自分の専業商流に限られるケースがこれまで多かった。例えば、陶磁器を扱っている問屋は圧倒的に食器業界への商流に特化しています。そのほかの業界に参入したという話はこれまで聞いたことがありません。日本茶を扱っているところは、時代のトレンドがコーヒーに流れてもじっと見ているだけ。自分の商流は今厳しいけど、お隣の別の商流は元気。ではそっちに行こうという機動力がありません。

また、これまでの決まった商流の中のみで試行錯誤をしてきたところがあります。ですから、その商流でヒット商品が生まれるとすぐにその企画や形を模倣し、価格を下げて流通させる。そんなビジネスも横行しています。ほかの問屋も右に習えと動きだし、さらにくぐる（価格を下げる）。そして製造拠点を海外へ移して、国内生産を減少させてしまう。その流れは依然止まる気配がなく、どの業界も一層元気を失いつつあります。

もともと、問屋が産地の小規模な職人たちをまとめ、そうした職人に代わって顧客と商売をし、そして職人とともに企画や製造の流れをつくってきました。「職人」と「商人」という各々の役割がきちんと機能していたのです。それが本来あるべき問屋の役割と機能が弱くなったため、職人自らが前に出て商流設計をしていかなければならなくなっています。

小さな事業者単位であればフットワークは軽いかもしれませんが、現実的には企画や生産、それに販売までを管理し、さらにそうした一連の仕事を続けていくのは並大抵のことではありません。

第2章で、「自販商品をつくっていこう」と提唱はしましたが、町工場や職人は元来はつくり手。そうそう売ることばかりに時間も労力も割けません。

「新しいことをやれと言われて、商品をつくった。現場にも出て販売しろと言われるので、売り場にも立った。でも、それでつくる時間がどんどんなくなっている。それなのに、さらにもっと新しいことをやれと言われる。一体いつ、つくったらいいんだ！」

そんな悲鳴がモノづくりの現場から聞こえてきます。

これまでの商流をつくってきた商人が機能しなくなり、そのあおりを被った職人たちがますます疲弊していく。やはり、生産者と小売店や消費者をつないできた問屋的な役割はなくなったら困るわけです。

「つくる人が増えても、きちんと売る人が増えていかない」

「モノづくりの良き時代を築いてきた『商人と職人の関係』を、再び見直していけないやろうか？」

そんな頭の中のもやもやを一掃しようと、僕らは今の時代に求められる新しい問屋像を描こうとしています。

商人と職人の関係を復活させる「ニュー問屋」

それが「ニュー問屋」です。あえてイメージがよく思われていない言葉を使ってでも、本来の問屋の役割を再生させたい。それが僕らの想いです。

いわば、破たんしてしまった商人と職人との関係を再生し、それを復活させて製造から消費者までをつなぐ役割を担う、新しい問屋の形です。

サッカーで言えば、ミッドフィールダーのような存在。守りも攻めも同時に見ています。

商品を買ってくれる、使ってくれる、活用してくれるユーザーというゴールの前には、小売店のバイヤーというフォワードがいます。彼らは「いいボール（商品）をくれ」と常に要求してくる。ミッドフィールダーの僕らは、ディフェンダーの町工場や職人からどういうボールをフォワードに供給させようかといつも考えています。

世の中にはたくさんのゴールポスト（市場）がありますから、別に、決まったポストだけを狙わなくてもいい。僕らは特定の専門商流に偏っていないので、市場の動きに合わせてフィールドを縦横無尽に動けます。

でも、どんなゴールを狙うときもできるだけ外さないようにしようとしています。的確に蹴りやすいボールでパスをつなぎ、最悪でも足先にかするぐらいのところまでは持っていきたい。

そして、マネジメントとプロデュースの双方を行って、適した市場がなければ新たな市場もつくっていきますし、そのための商売も考えていきます。

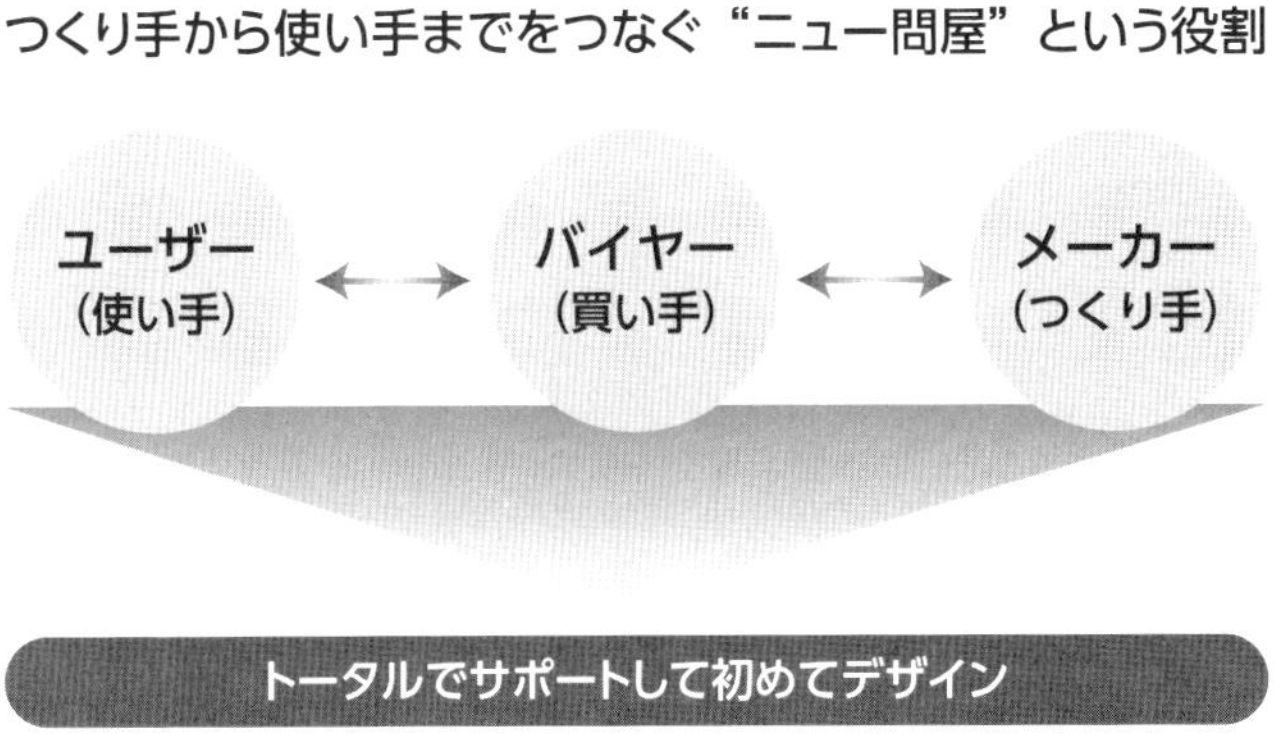
つくり手から使い手までをつなぐ“ニュー問屋”という役割
ユーザー
（使い手）
バイヤー
（買い手）
メーカー
（つくり手）
トータルでサポートして初めてデザイン

かつて、さまざまな職人をとりまとめ、市場との架け橋になっていたのは「問屋」だった。セメントプロデュースデザインは、つくり手の技術を生かす商品開発、市場販路までを視野に入れたデザインなどによって、今の時代に合わせた新しい問屋の役割を再興させようとしている。

例えば工芸だと、量をつくれないケースでは全国に販売していくのが難しい。だったら、その職人が活動する地元に限定してみる。これは僕らが全国展開しているコーヒーショップと進めている事例ですが、ご当地の工芸技術でつくったカップをその地域の店だけで販売する。全国チェーンでありながら、各地域の色を出すことで店の差異化を進めようという取り組みです。

また、その地域で集客力のある高級旅館などのアメニティとして伝統工芸の商品を扱ってもらうと、宿泊客が目にすることができ、それが購買につながる可能性があります。関心があるようだったら、職人の工房見学というコトも企画してあげれば、旅館にとっては顧客サービスとなるし、宿泊客にとってはプレミアムな体験となる。職人にしてみれば、商品がさらに売れるチャンスにも恵まれるわけで、そうした三者が喜ぶビジネスを組み立てられるのがニュー問屋ということになるでしょう。

地産地消ではなく、「地産他消」できることもひとつの商流になるのです。

みんなでつくろう！「日本製造株式会社」

第1章で静岡県熱海市の建具製作の西島木工所と、切るためのまな板を裏返すと盛り付けが楽しくなるプレートを開発した話を紹介しました。この「face two face」というブランドはまだまな板の単品だけなので、正直言って売り場が取りにくく、今後新作を増やしていく必要があります。ただし、西島木工所には真っ直ぐに切る刃物しかないので、彼らがつくるとなるといずれも直線の商品となってしまいます。

でも木工ブランドとして考えると、直線だけでなく丸いものなど、いろいろバラエティに富んだ方がブランドとしての厚みが出てきます。買い手もいろいろ選べてうれしいし、売り場のスペースも取りやすくなる。かといって、西島木工所に新たな機械を導入してもらうのは現実的ではありません。

そこで、ひとつの手として考えているのが、ブランドを複数の町工場（事業者）で支えていく方法です。丸型ができる工場とブランドのライセンスを共有していければ、商品ラインアップを増やすことができるわけです。

また、機械がそろっている工場と組むと、価格も下げられます。西島木工所はどうしても手作業となるので、価格は高くなり、その分リスクも高くなります。同じデザインでも機械を多用できるところが加われば、価格を安くできます。

工場や職人ごとに、できることとできないことが必ずあります。ここまで広げたいと思っていても、自分たちだけではできない。また、これまで下請けとして生産の一工程を請け負っていただけなので、自分たちだけで完結できるモノづくりの事業を起こすこと自体が難しいケースもあります。そうしたとき、他社の技術や設備を活用できれば、無理が可能となるのです。

なんでもかんでも自販商品の新ブランドを立ち上げるというのではなく、また、すべてを自分たちだけでやろうとせずに、今あるものを他社と共有しながら再生の道を模索する手もあるのです。

産地を飛び越えた「技術の交配」で日本をひとつの工場にする

これまでに僕らが訪れた町工場や工房は、全国で500社を超えました。各現場の事業内容や設備内容、技術、職人の能力といったさまざまな工場や職人の「事業と技術」のカルテも出来上がろうとしています。それぞれの強みを知っているし、そこで働く人たちのキャラクターもわかっている。

そこで、ニュー問屋として各現場の技術や素材の相性などを考えながら、各々の町工場や職人の能力を掛け合わせることで新種を生み出していく。そうした協業が実際にできるようになってきたのです。

すでに、新潟県で僕らが主催した異業種交流会「LOBBY（ロビー）」では、金属加工に長けた燕市の工場、ニット産地の五泉市のつくり手、それに新潟市のデザイナーがつながり、互いの技術を持ち寄って新商品「湯たんぽ」を誕生させました。この商品はグッドデザイン賞も受賞しています。

福井では、出会った国指定の工芸職人たちがその後に手を組んで「福井7人の工芸サムライ」プロジェクトを立ち上げ、新商品の開発を進めています。

産地と産地、異業種と異業種、工場と工場、職人と職人、はたまた工場と職人と、いろ

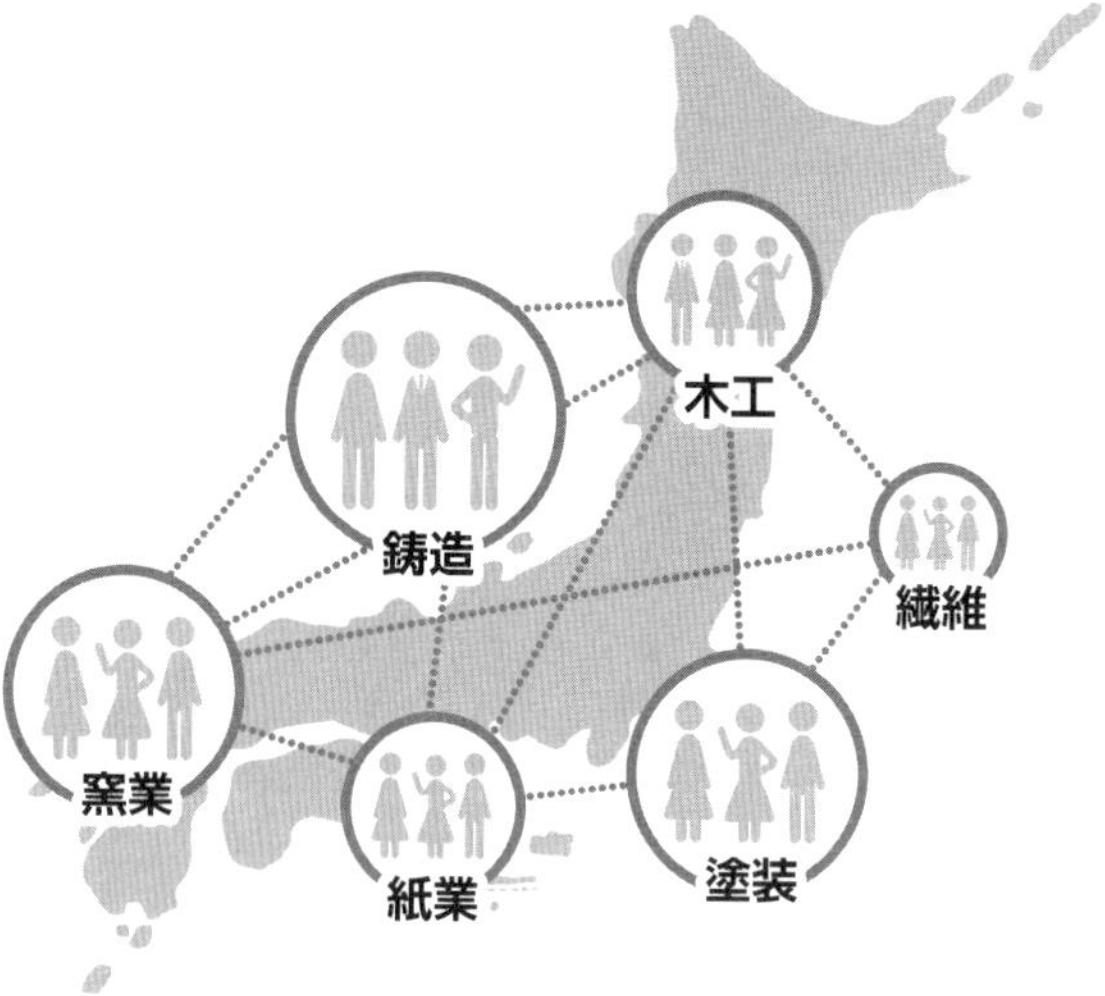

全国の町工場の得意な技術を交配させて、日本をひとつの工場と捉える

いろな連携や掛け合わせから、新たな商品やサービスをつくるビジネスが生まれる。

まさに、日本をひとつの工場とみなした「日本製造株式会社」戦略です。

これこそが大きな会社に小さな会社が伍していける戦い方だし、町工場や職人にとっての生き残りの手ではないかと考えています。

そのためには、もう何度も繰り返してきましたが、自分の強みであり、自分が使える武器をいつも知っておくことです。そうすると、普段から自分たちができないこともわかってくるので、必要に迫られた場合はそれができきところと組めばいい。

すべてを自分たちでやろうとせずに、各々のスペシャリストと組めば、それこそ最強のチームを結成できるのです。

日本はもともと技術大国として世界を席巻してきたわけですし、デザインだけではこの先を突破していくのは難しい。モノづくりの現場の高い技術や、そこから生まれた素材や加工のレベルを上げていくことが、本来の日本の製造業の在り方だと強く感じています。

各地の強み同士をつなげていくことを、僕は産地や地域の枠を越えた「技術の交配」と呼んでいます。最高の種同士が交配していくのですから、優秀な子ども（商品・サービス）が必ずや生まれるに違いありません。

そうなれば、町工場や職人にも明るい未来が待っていると確信しています。

おわりに

僕らは、人の「キモチづくり」をしているのかもしれない

「どんなデザイン会社にしたいのか？」

周りの人から、こう尋ねられることがよくあります。

どこかの会社を例えにしてほしいのだと思いますが、僕にはそうした具体的な会社はありません。だから、たいていこのように答えています。

「自分自身がどうすればいいかわからず困ったときに、デザインのことなどなにも知らなくても、相談したいと思う会社。なんとかしてくれる会社。そして、どんなことでも全力で相談に乗ってくれそうな会社にしていきたい」

誰でも、どんな会社でも「どうすればいいのかわからない」、そんなピンチに直面することがたくさんあるでしょう。そんなときにきちんと相談に乗れて、一緒に頑張れる。とにかく一生懸命の会社にしたいと思っています。

今、全国いろいろなところから相談を頂きます。どこも、経営的にも商売的にも苦しい

状況にある。僕らも小さな会社なので万能ではありませんし、スーパーマンでもない。どうにもできないことだって、時にはあります。

でも、常にこんな思いが自分を動かします。

「誰かのためになにかせな、あかん」

これは起業してから変わらず持ち続けている信念です。両親のためになにかをする。そして恋人のため、奥さんのため、子どものため、知人のためになにかをする。どれも同じ感覚です。気持ちで頼られたからには、自分のできることでなんとかしてあげたい。企画やデザインする会社の使命だと思っています。

町工場や職人のみなさんと一緒に協業していて思うのは、確かにモノをつくったり、コトを起こしたりしていますが、どちらかというと携わった人たちの「キモチ」をつくっている気がしています。

どんな取り組みでも、課題を解決しようとアイデアを出し合い、それを形にするためあれこれ苦労を重ねながら進めていくと、みなさんの目の色が変わっていきます。

初めて出会ったときは、厳しい状況の人ほど焦りと不安でいっぱいの表情をしています。それが、商品開発などが進み、展示会といったお披露目の場で自分が関わった商品へのダイレクトな反応を経験するうちに、自信を持った熱い目に変わり、見る見る輝きを増していく。結果がどう出るかわからないながら、確かな手応えを感じて自分の中で意識改革が起こっていくからなのでしょう。

たいてい、考えも行動も前向きになり、やる気もみなぎっていくように見えます。そして、商品が完成した時点では決まって、ひと回りもふた回りも大きく成長している。そんな光景を目の当たりにしてきました。

そんなことを何度も経験しているうちに、モノづくりやコトづくりを通して、僕らは彼らの「キモチづくり」のお手伝いをしているのではないかと思い始めています。

倒産や廃業のピンチから生き残れるかどうかは、やっぱり人にかかっている。当事者のキモチがどれだけ強いのか、どれだけ生き残りたいと思っているのか、そのための努力や頑張りができるか。一番の武器となるのは、技術や設備以上にそれを操り動かす人なんだとつくづく感じています。

最近、大学の先生に相談し、「どういう商品が成功するのか」、必要な要素を探ってみようと、僕らがこれまで関わった商品を調べてみたことがあります。産地の知名度、技術、素材、予算、企画、デザインなど、構成する要素をできるだけ多く分析してみました。

その結果を見て、スタッフたちと驚きました。

成功したプロジェクトに共通していた要素は、技術や素材や予算でもなく、「熱意」だったのです。補助金がなくても、資金を借りてでもなんとかしたいと挑む「熱意」があったからこそ、成功を手に入れることができた。

これからは町工場や職人単体ですべてを完結するのではなく、互いに欠けているところを補完し合い、連携する「技術の交配」が大きな流れになっていくと感じています。ただ、どんなに優れた技術や設備を掛け合わせても、ともに手を取り合う人たちに意志や熱意がなければ、いい技術の交配にはつながりません。

結局、熱意や意志のある人同士の交配が生き残るということになるのでしょう。

熱いキモチをぶつけてくれるほど、僕らもそのキモチにコトやモノで返していく。そして、そうした良いキモチの循環がいつかまた自分のところに戻ってくるのです。

タライの水と同じです。自分に寄せれば水は向こうへ行く。でも水を向こうへ押せば自分たちに返ってくるわけです。

今回、町工場や職人のみなさんと仕事をしてきて気がついたこと、感じたこと、考えさせられたことを一冊の本にまとめてみました。僕が本を出すなんてことは想像もしていなかったし、いろいろ悩みながらの作業となりましたが、現時点で僕らがみなさんに伝えたいことを十分にまとめられたように感じています。

初めての著書の出版は、これまでお世話になった方々の協力なしでは生まれませんでした。

僕らの初めての自社商品であるクリップの企画を、甘えた条件にもかかわらず助けてくださった成瀬金属株式会社の成瀬悦次社長。開発後に商品が少なくて販路づくりに困っていた僕らを助けてくださった株式会社タカタレムノスの故・高田博社長。僕らの活動を裏方として支えてくださっている各地の行政関係で働くスタッフのみなさん。各地で一緒に奮闘している町工場、そして職人のみなさん、間借りの事務所当時から支えてくれているセメンターズ（スタッフ）、独立して各所で頑張っている元セメンターズ。

それに、お忙しい中、取材に対応していただいた株式会社キッソオの吉川精一社長と熊本雄馬さん、陶磁器原型職人の吉橋賢一さん、有限会社西島木工所の西島則雄さんと祥世さん、洋輔さん、京都職人工房の山崎伸吾さん、竹工芸職人の小倉智恵美さん、有限会社梅香堂の田中隆史さん。出版のきっかけを下さった『日経デザイン』の花澤裕二編集長と編集部の太田憲一郎さん、取材のサポートや原稿のアドバイスをしてくださったライターの佐藤俊郎さん。

たくさんの方々にお世話になりました

僕は、デザイン側と製造側が「きちんとした関係」で存続できる「手」は、まだまだあると思っています。これからも町工場や職人のみなさんと、いろいろな形で協業していきますが、そうした取り組みで新たな生き残りの「手」を発見したら、また、ぜひご報告したいと思っています。

2017年12月

金谷　勉

金谷　勉　Tsutomu Kanaya

1971年大阪府生まれ。京都精華大学人文学部を卒業後、企画制作会社、広告制作会社を経て、1999年にデザイン会社「セメントプロデュースデザイン」を大阪にて設立。企業の広告デザインや商業施設のビジュアル、ユニクロ「企業コラボレーションTシャツ」や星野リゾート、コクヨとの企画ディレクションなどに携わる傍ら、自社商品の開発・販売を行う。2011年からは、全国各地の町工場や職人との協業プロジェクト「みんなの地域産業協業活動」を始め、つながった工場や職人は500を超す。経営不振にあえぐ町工場や工房の立て直しに取り組む活動は、テレビ番組『カンブリア宮殿』『ガイアの夜明け』（テレビ東京系列）や『NHK WORLD』（NHK）で取り上げられる。各地の自治体からの勉強会や講演の依頼も多く、年間200日は地方を巡り、京都精華大学や金沢美術工芸大学でも講師を務める。

小さな企業が生き残る

2017年12月19日　初版第1刷発行
2024年 2月 6日　初版第3刷発行

著　者　金谷 勉
編　集　花澤裕二（日経デザイン）
構　成　佐藤俊郎

発行者　佐藤央明
発　行　株式会社 日経BP
発　売　株式会社 日経BPマーケティング
〒105-8308　東京都港区虎ノ門4-3-12
https://www.nikkeibp.co.jp/books/

ブックデザイン　小口翔平（tobufune）
制作・印刷・製本　大應

ISBN978-4-8222-5757-6